Este libro pertenece a

This book belongs to

Uriel

OurSundayVisitor

Curriculum Division

Nihil Obstat
Mons. Louis R. Piermarini

Imprimátur
✠ Rmo. Robert J. McManus, S.T.D.
Obispo de Worcester
9 de agosto de 2005

El imprimátur es una declaración oficial sobre la falta de errores de carácter doctrinal o moral en un libro o un folleto, lo cual no significa que quien lo otorgue esté de acuerdo con el contenido, las opiniones o los enunciados allí expresados.

© 2011 by Our Sunday Visitor Curriculum Division, Our Sunday Visitor.

All rights reserved. No part of this publication may be reproduced or transmitted in any form or by any means, electronic or mechanical, including photocopy, recording, or any information storage and retrieval system, without permission in writing from the publisher.
Write:
Our Sunday Visitor Curriculum Division
Our Sunday Visitor, Inc.
200 Noll Plaza, Huntington, Indiana 46750

Call to Celebrate is a registered trademark of Our Sunday Visitor Curriculum Division, Our Sunday Visitor, 200 Noll Plaza, Huntington, Indiana 46750.

For permission to translate/reprint copyrighted material, grateful acknowledgment is made to the following sources:

Michael Balhoff: Lyrics from "We Praise You" by Mike Balhoff, Darryl Ducote, and Gary Daigle. Lyrics © 1978 by Damean Music.

John Burland: Lyrics from "Yes Lord, I Believe!" by John Burland. Lyrics © 2000 by John Burland. Lyrics from "Come to the Table" by John Burland. Lyrics copyright © 2005 by John Burland. Lyrics from *And With Your Spirit: Songs for Deepening Children's Understanding of the Mass*. Our Sunday Visitor Curriculum Division, printed in partnership with Ovation Music Service © 2011 John Burland.

Catholic Book Publishing Co., New Jersey: "Ave María" from *Libro Católico de Oraciones*, edited by Rev. Maurus Fitzgerald, O.F.M. Text copyright © 2003, 1984 by Catholic Book Publishing Co. "Oración al Espíritu Santo" from *Libro Católico de Oraciones*, edited by Rev. Maurus Fitzgerald, O.F.M. Text © 1984 by Catholic Book Publishing Co.

Division of Christian Education of the National Council of the Churches of Christ in the U.S.A.: Scripture quotations from the *New Revised Standard Version Bible.* Text copyright © 1993 and 1989 by the Division of Christian Education of the National Council of the Churches of Christ in the U.S.A.

Editorial Verbo Divino: Scriptures from *La Biblia Latinoamerica*, edited by San Pablo – Editorial Verbo Divino. Text copyright © 1998 by Sociedad Bíblica Católica Internacional (SOBICAIN).

GIA Publications, Inc., 7404 S. Mason Ave., Chicago IL 60638, www.giamusic.com, 800-442-1358

International Commission on English in the Liturgy: Excerpt from the English translation of *Rite of Baptism for Children* © 1969, International Commission on English in the Liturgy Corporation (ICEL); excerpts from the English translation of *Rite of Confirmation (Second Edition)* © 1975, ICEL; excerpts from the English translation of *Book of Prayers* © 1982, ICEL; excerpts from the English translation of *Book of Blessings* © 1988, ICEL; excerpts from the English translation of the *Roman Missal* © 2010, ICEL. All rights reserved.

Obra Nacional de la Buena Prensa, A.C.: From *Misal Romano*. Text copyright © by Obra Nacional de la Buena Prensa, A.C.

OCP Publications, 5536 NE Hassalo, Portland, OR 97213: Lyrics from "Lead Us to the Water" by Tom Kendzia, Gary Daigle, and John Foley. Lyrics © 1998 Tom Kendzia, Gary Daigle, and John Foley. Lyrics from "Open My Eyes" by Jesse Manibusan. Lyrics © 1988 by Jesse Manibusan. Published by spiritandsong.com . Lyrics from "I Will Praise You, Lord"/"Te alabaré Señor" by Manuel Jose Alonso and Jose Pagan. Lyrics © 1979 by Manuel Jose Alonso and Jose Pagan. Lyrics from "Glory to God" by Dan Schutte. Lyrics © by Dan Schutte. All rights reserved.

Illustration Credits
Dan Brown/Artworks 36–37; Shane Marsh/Linden Artists, Ltd. 6–7, 56–57; Roger Payne/Linden Artists, Ltd. 26–27; Francis Phillips/Linden Artists, Ltd. 76–77; Tracy Somers 10, 11, 21, 60, 80, 81; Clive Spong/Linden Artists, Ltd.16–17, 46–47, 66–67.

Photo Credits
Laurent Emmanuel/Corbis Sygma 18.

Un Llamado A Celebrar La Eucharistía
ISBN: 978-1-59-276983-4
Item Number: CU5060

2 3 4 5 6 7 8 9 10 000287 15 14 13 12
RR Donnelley; Menasha, WI, USA; October 2012; Job# 200025

UN LLAMADO A CELEBRAR
LA EUCARISTÍA

Contenido

Contents

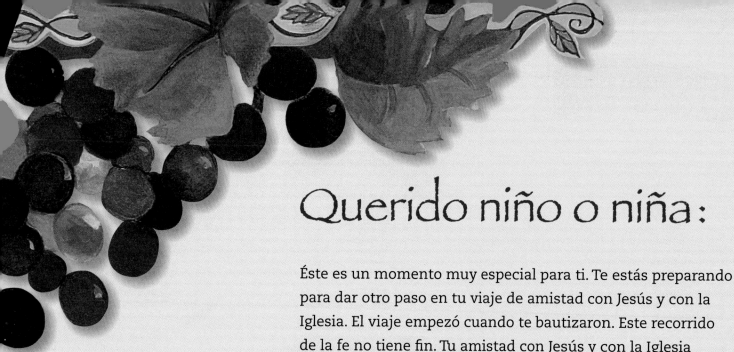

Querido niño o niña:

Éste es un momento muy especial para ti. Te estás preparando para dar otro paso en tu viaje de amistad con Jesús y con la Iglesia. El viaje empezó cuando te bautizaron. Este recorrido de la fe no tiene fin. Tu amistad con Jesús y con la Iglesia seguirá creciendo durante toda tu vida.

En algunas parroquias, los niños celebran el sacramento de la confirmación antes de recibir la sagrada comunión por primera vez. En otras parroquias, reciben la sagrada comunión y luego, cuando son más grandes, celebran el sacramento de la confirmación.

¿Qué sacramentos celebrarás este año?

_____

_____

Dear Child,

This is a very special time for you. You are preparing to take another step in your journey of friendship with Jesus and the Church. Your journey began when you were baptized. This journey of faith never ends. You will keep growing in your friendship with Jesus and the Church for your whole life.

In some parishes, children celebrate the Sacrament of Confirmation before receiving Holy Communion for the first time. In other parishes, children receive Holy Communion and then, when they are older, they celebrate the Sacrament of Confirmation.

What Sacraments will you be celebrating this year?

_____

_____

Durante este período

• aprenderás los sacramentos de la iniciación

• rezarás con tus amigos y con tu familia

• escucharás los relatos de Jesús y de los Apóstoles

• aprenderás las partes de la misa

• te prepararás para celebrar los sacramentos

¿Cuál es tu parte preferida de la misa?

_____

_____

¿Qué esperas aprender este año?

_____

_____

During this time, you will

- learn about the Sacraments of Initiation

- pray with your friends and family

- listen to the stories of Jesus and the Apostles

- learn about the parts of the Mass

- prepare to celebrate the Sacraments

What is your favorite part of the Mass?

_____

_____

What are you looking forward to learning this year?

_____

_____

Mi recorrido de la fe

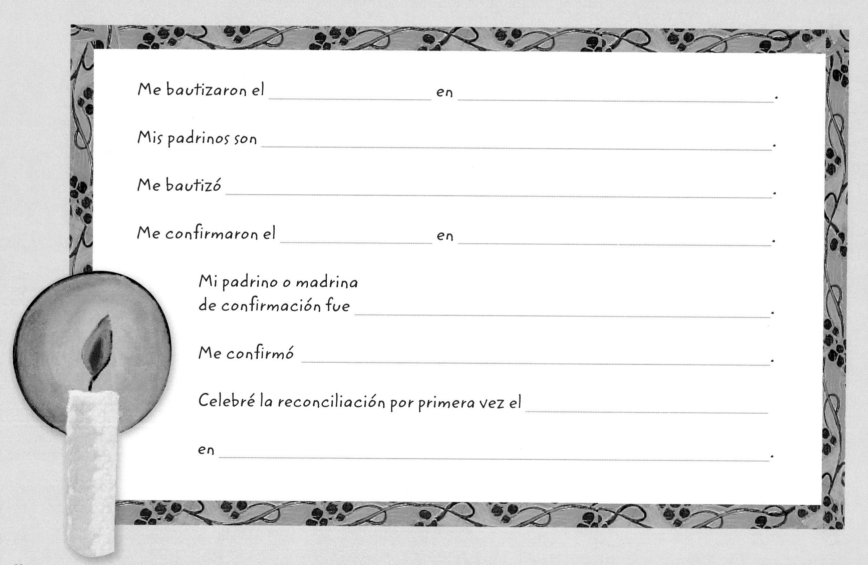

Me bautizaron el _____ en _____.

Mis padrinos son _____.

Me bautizó _____.

Me confirmaron el _____ en _____.

Mi padrino o madrina
de confirmación fue _____.

Me confirmó _____.

Celebré la reconciliación por primera vez el _____

en _____.

My Faith Journey

I was baptized on _____ at _____.

My godparents are _____.

I was baptized by _____.

I was confirmed on _____ at _____.

My sponsor was _____.

I was confirmed by _____.

I celebrated Reconciliation for the first time on _____

at _____.

Celebré mi primera comunión el _____

en _____ .

_____ presidió la eucaristía.

Algunas de las personas que ayudaron a prepararme para la primera comunión

fueron _____

_____

Lo que más recuerdo de mi preparación para la primera comunión

_____

_____

_____

Lo que más recuerdo del día de mi primera comunión

_____

_____

I celebrated my First Communion on _____

at _____ .

_____ presided at the Eucharist.

Some of the people who helped me prepare for First Communion were

_____

_____

What I remember most about preparing for my First Communion

_____

_____

_____

What I remember most about my First Communion Day

_____

_____

1 Pertenecemos

Enfoque del rito: Renovación de las promesas del bautismo

Nos reunimos

Procesión

Avancen lentamente. Sigan a la persona que lleva la Biblia.

Líder: Oremos.

Hagan juntos la señal de la cruz.

Líder: El día de tu bautismo, tu familia y la Iglesia te reclamaron para Cristo.

Recibiste los dones de la fe y de la vida nueva. Hoy, recordemos juntos las promesas del bautismo.

Avancen y reúnanse alrededor del agua y del cirio.

Líder: ¿Le dicen "no" al pecado para que puedan vivir siempre como hijos e hijas de Dios?

Todos: Sí, lo digo.

Líder: ¿Creen en Dios, Padre todopoderoso?

Todos: Sí, creo.

Líder: ¿Creen en Jesucristo, su único Hijo, nuestro Señor?

Todos: Sí, creo.

2

We Belong

We Gather

Procession

As you sing, walk forward slowly.
Follow the person carrying the Bible.

 Sing together.

> I believe in God the Father
> I believe in God the Son
> I believe in the Spirit
> And the strength that makes
> us one.
>
> Yes Lord, I Believe! © 2000 John Burland

Leader: Let us pray.

Make the Sign of the Cross
together.

Ritual Focus: Renewal of Baptismal Promises

Leader: On the day of your Baptism, your family and the Church claimed you for Christ.

You received the gifts of faith and new life. Today let us remember the promises of Baptism together.

Come forward, and gather around the water and candle.

Leader: Do you say "no" to sin, so that you can live always as God's children?

All: I do.

Leader: Do you believe in God, the Father almighty?

All: I do.

Leader: Do you believe in Jesus Christ, his only Son, our Lord?

All: I do.

Líder: ¿Creen en el Espíritu Santo, la santa Iglesia católica, la comunión de los santos?

Todos: Sí, creo.

Líder: Ésta es nuestra fe. Ésta es la fe de la Iglesia, que nos gloriamos de profesar en Cristo Jesús.

Todos: Amén.

BASADO EN EL RITUAL PARA EL BAUTISMO DE LOS NIÑOS, 144–146

Líder: Vengamos al agua y demos gracias a Dios por el don de nuestro bautismo.

Uno a uno, hagan la señal de la cruz con el agua.

[Nombre], tú eres la luz de Cristo.

Niño: Amén.

Escuchamos

Líder: Dios, Padre nuestro, al recordar nuestro bautismo, abre nuestro corazón al Espíritu Santo. Te lo pedimos por Jesucristo, nuestro Señor.

Todos: Amén.

Líder: Lectura del santo Evangelio según san Juan.

Todos: Gloria a ti, Señor.

Líder: Lean Juan 15:1–17.

Palabra del Señor.

Todos: Gloria a ti, Señor Jesús.

Siéntense en silencio.

Evangelicemos

Líder: Padre amado, te damos gracias por el don del bautismo. Envíanos a llevar tu amor a los demás. Te lo pedimos por Jesucristo, nuestro Señor.

Todos: Amén.

4

Leader: Do you believe in the Holy Spirit, the holy catholic Church, the communion of saints?

All: I do.

Leader: This is our faith. This is the faith of the Church. We are proud to profess it in Christ Jesus.

All: Amen.

BASED ON RITE OF BAPTISM FOR CHILDREN 144–146

Leader: Let us come to the water and thank God for the gift of our Baptism.

One at a time, make the Sign of the Cross with the water.

[Name], you are the light of Christ.

Child: Amen.

We Listen

Leader: God, our Father, open our hearts to the Holy Spirit as we remember our Baptism. We ask this through Jesus Christ our Lord.

All: Amen.

Leader: A reading from the holy Gospel according to John.

All: Glory to you, O Lord.

Leader: Read John 15:1–17.

The Gospel of the Lord.

All: Praise to you, Lord Jesus Christ.

Sit silently.

We Go Forth

Leader: Loving God, we thank you for the gift of Baptism. Send us forth to bring your love to others. We ask this through Jesus Christ our Lord.

All: Amen.

 Sing the opening song together.

Vida nueva

SIGNOS DE FE

Agua

El agua da vida. Limpia y renueva las cosas. El agua también nos recuerda la vida nueva. El agua que se usa en el bautismo es bendita. El agua bendita es una señal de que Dios Padre nos da su vida y nos limpia de todo pecado. A través de las aguas del bautismo, tenemos una vida nueva con Jesús. Cada vez que vamos a la iglesia, nos bendecimos con agua bendita y recordamos nuestro bautismo.

Reflexiona

Renovación de las promesas del bautismo Piensa y escribe acerca de la celebración.

Cuando dije: "Creo"

es que yo creo en dios.

Cuando puse la mano en el agua

Cuando oí las palabras "la luz de Cristo"

New Life

SIGNS OF FAITH

Water

Water gives life. It cleans and makes things like new. Water also reminds us of new life. The water used at Baptism is blessed. The blessed water is a sign that God the Father gives us his life and cleanses us from all sin. Through the waters of Baptism, we have new life with Jesus. Every time we go into a church, we bless ourselves with holy water. We remember our Baptism.

Reflect

Renewal of Promises Think and write about the celebration.

When I said, "I do"

_____

_____

_____

When I put my hand in water

_____

_____

_____

When I heard the words "the light of Christ"

_____

_____

_____

7

El Cuerpo de Cristo

El **bautismo** nos hace hijos e hijas de Dios y miembros de la Iglesia, el **Cuerpo de Cristo**. En el bautismo, se nos da vida nueva con Jesucristo. Se nos perdona el **pecado original** y todos los pecados personales. Recibimos la luz de Cristo y nos convertimos en sus discípulos. Las personas que siguen a Jesús se llaman discípulos. Otro nombre que se le da a un discípulo de Cristo es *cristiano*.

Por medio de nuestro bautismo, pertenecemos a la Iglesia y nos convertimos en amigos especiales de Dios. Necesitamos el bautismo para tener vida eterna con Dios.

En el bautismo, Dios Espíritu Santo entra en nosotros. El Espíritu Santo

- nos ayuda a creer y a tener fe

- nos enseña a orar

- nos guía para que seamos la luz de Cristo para los demás y nos santifica

- nos ayuda a cumplir la ley de Dios

SIGNOS DE FE

El cirio pascual

A veces a esta vela se le llama el cirio pascual. Todos los años, en la Vigilia Pascual, se enciende un cirio nuevo en el fuego pascual. El cirio se enciende en todas las misas durante el tiempo de Pascua y en todos los bautismos y funerales. Durante el bautismo, el sacerdote o el diácono usa el **cirio pascual** para encender las velas de los que se van a bautizar.

The Body of Christ

Baptism makes us children of God and members of the Church, the **Body of Christ**. At Baptism, we are given new life with Jesus Christ. **Original Sin** and all personal sins are forgiven. We receive the light of Christ and become his followers. People who follow Jesus are called disciples. Another name for a follower of Christ is *Christian*.

Through our Baptism, we belong to the Church and become special friends of God. We need Baptism to have life with God forever.

In Baptism, God the Holy Spirit comes to live in us. The Holy Spirit

- helps us believe and have faith
- shows us how to pray
- guides us to be the light of Christ for others and makes us holy
- helps us follow God's law

SIGNS OF FAITH

The Paschal Candle

Sometimes this candle is called the Easter candle. Every year at the Easter Vigil, a new candle is lit from the Easter fire. The candle is lit at all the Masses during the Easter season and at all Baptisms and funerals. During Baptism, the priest or deacon uses the **Paschal candle** to light the candles of those being baptized.

Pertenecemos a Dios

Enfoque en la fe

¿Qué nos dice Jesús acerca de pertenecer a Dios?

Jesús sabía que regresaría a Dios, su Padre. Los discípulos de Jesús estaban tristes. Querían permanecer cerca de Él. Jesús quería decirles a sus amigos que estaría siempre con ellos. Quería que ellos supieran que le pertenecían de una manera especial. Por eso, les contó este relato.

Sagrada Escritura

JUAN 15:1–17

La vid y las ramas

"Yo soy la vid verdadera, y mi Padre es el labrador. Él quita todas las ramas que, en mí, no dan fruto. Todas las ramas que dan fruto, las poda para que fructifiquen más. Una rama no puede producir fruto por sí misma. Debe permanecer unida a la vid. Ustedes son las ramas de la vid. Mientras estén cerca de mí, seguirán dando frutos".

We Belong to God

What does Jesus tell us about belonging to God?

Jesus knew he would be returning to God, his Father. Jesus' disciples were sad. They wanted to stay close to him. Jesus wanted to tell his friends that he would always be with them. He wanted them to know that they belonged to him in a special way. So, he told them this story.

JOHN 15:1–17

The Vine and the Branches

"I am the true vine, and my Father is the vine grower. He takes away every branch in me that does not bear fruit. Every branch that does bear fruit, he cuts back so it will grow more fruit. A branch cannot bear fruit on its own. It must remain on the vine. You are the branches of the vine. As long as you stay close to me, you will keep bearing fruit."

11

"Ustedes son mis amigos. Así como el Padre me ama, yo los amo. Aménse los unos a los otros como yo los he amado. Ustedes no me eligieron. Fui yo el que los eligió. Vayan y den frutos que perduren. Lo que pidan al Padre en mi nombre, se les concederá. Éste es mi mandamiento: ámense unos a los otros".

BASADO EN JUAN 15:1–17

❓ ¿Qué les dijo Jesús a sus amigos en este relato?

❓ ¿De qué manera es Jesús tu amigo? ¿De qué manera eres tú su amigo?

La fe en el hogar

Lean el relato de la Sagrada Escritura con su hijo o hija. Hablen sobre las formas en que ustedes están cerca de Jesús. Elijan una actividad que puedan hacer para estar cerca de Jesús mientras su hijo o hija se prepara para recibir la sagrada comunión.

Comparte

Haz un dibujo En una hoja de papel, dibuja una ilustración de una manera en que puedes mostrar a los demás que perteneces a Dios.

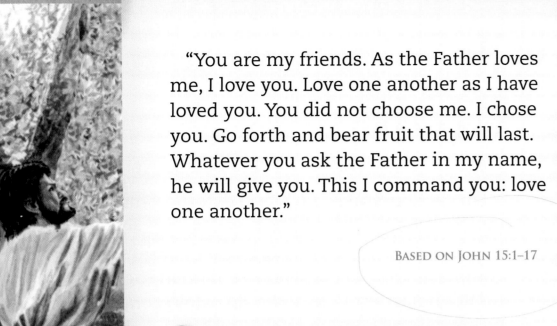

"You are my friends. As the Father loves me, I love you. Love one another as I have loved you. You did not choose me. I chose you. Go forth and bear fruit that will last. Whatever you ask the Father in my name, he will give you. This I command you: love one another."

BASED ON JOHN 15:1–17

❓ **What was Jesus telling his friends in this story?**

❓ **How is Jesus your friend? How are you his friend?**

Faith at Home

Read the Scripture story with your child. Talk about ways that you stay close to Jesus. Decide on one activity you can do to stay close to Jesus while your child is preparing to receive Holy Communion.

Share

Draw a picture On a sheet of paper, draw a picture of one way you can show others that you belong to God.

Los sacramentos de la iniciación

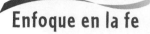

La Santísima Trinidad

La Trinidad es el misterio de un Dios en tres Personas: Padre, Hijo y Espíritu Santo (glosario del *CIC*). Las tres Personas actúan juntas en todo lo que hacen, pero cada Persona tiene un papel especial. A veces, llamamos a Dios Padre el Creador, porque fue quien lo hizo todo. Jesucristo es el Hijo de Dios y nuestro Salvador. Dios Espíritu Santo nos santifica. Cada Persona de la Trinidad se llama Dios.

Enfoque en la fe

¿Qué sacramentos son signos de pertenencia?

Un **sacramento** es un signo externo que viene de Jesús. Los sacramentos nos dan la gracia, una participación en la vida de Dios. El bautismo, la confirmación y la eucaristía se llaman **sacramentos de la iniciación**. Por medio de estos sacramentos, nos unimos estrechamente a Cristo. Nos hacen miembros de la Iglesia católica. Son signos de que pertenecemos a Dios y a la Iglesia.

Bautismo

En el bautismo, el sacerdote o el diácono vierte agua sobre nuestra cabeza o nos sumerge tres veces en el agua mientras dice: "Yo te bautizo en el nombre del Padre, y del Hijo y del Espíritu Santo". Luego nos frota óleo bendito en la cabeza. A esto se le llama unción. Necesitamos bautizarnos sólo una vez.

Como signo de nuestra nueva vida en Cristo, recibimos una vestidura blanca. Luego, el sacerdote o el diácono da a nuestros padres o padrinos una vela encendida. Él reza para que caminemos como hijos e hijas de la luz y sigamos el ejemplo de Jesús.

The Sacraments of Initiation

The Holy Trinity

The mystery of one God in three Persons: Father, Son, and Holy Spirit is called the Trinity (*CCC*. Glossary). The three Persons act together in all they do, but each Person also has a special role. We sometimes call God the Father the Creator because he made everything. Jesus Christ is the Son of God and our Savior. God the Holy Spirit makes us holy. Each Person of the Trinity is called God.

Faith Focus

Which Sacraments are signs of belonging?

A **Sacrament** is an outward sign that comes from Jesus. Sacraments give us grace, a share in God's life. Baptism, Confirmation, and Eucharist are called **Sacraments of Initiation**. We are joined closely to Christ through these Sacraments. They make us members of the Catholic Church. They are signs that we belong to God and to the Church.

Baptism

In Baptism the priest or deacon pours water over our head or lowers us into the water three times. He says, "I baptize you in the name of the Father, and of the Son, and of the Holy Spirit." Then he rubs blessed oil on our head. This is called anointing. We need to be baptized only one time.

As a sign of our new life in Christ, we receive a white garment. Then the priest or deacon gives our parent or godparent a lighted candle. He prays that we will walk as children of the light and follow Jesus' example.

Confirmación

El sacramento de la **confirmación** fortalece en nosotros la vida de Dios. La confirmación completa nuestro bautismo y nos ayuda a crecer como discípulos de Jesús. Durante la confirmación, el obispo o el sacerdote extiende la mano y reza:

"Envía sobre ellos al Espíritu Santo
   para que los fortalezca con la abundancia de sus dones".

Entonces, el obispo o el sacerdote pone su mano sobre nuestra cabeza y nos unge con el óleo consagrado del **crisma**. El óleo es un signo de fuerza. Luego dice:

"Recibe por esta señal el don del Espíritu Santo".

Estas palabras nos dicen que, en la confirmación, recibimos al Espíritu Santo de una manera especial. El bautismo y la confirmación nos marcan con un carácter especial que muestra que pertenecemos a Jesús.

Eucaristía

El sacramento de la **eucaristía** nos une a Jesús de una manera especial. La eucaristía es una comida sagrada de acción de gracias. Jesús comparte su Cuerpo y su Sangre con nosotros en la sagrada comunión.

Participas en la eucaristía yendo a misa con tu familia.

❓ **¿De qué manera son signos de pertenencia los sacramentos de la iniciación?**

La fe en el hogar

Compartan relatos e imágenes del bautismo de su hijo o hija. Incluyan la vestidura blanca y la vela bautismal recibidas ese día. Expresen su alegría porque su hijo o hija se está preparando para recibir la sagrada comunión por primera vez.

Confirmation

The Sacrament of **Confirmation** strengthens God's life in us. Confirmation completes our Baptism and helps us grow as followers of Jesus. During Confirmation, the bishop or priest puts his hand out and prays:

> "Send your Holy Spirit upon them
> to be their Helper and Guide."

Then the bishop or priest lays his hand on our heads and anoints us with the holy oil of **chrism**. Oil is a sign of strength. He says:

> "Be sealed with the Gift of the Holy Spirit."

These words tell us that we receive the Holy Spirit in a special way at Confirmation. Both Baptism and Confirmation mark us with a special character that shows we belong to Jesus.

Eucharist

The Sacrament of the **Eucharist** joins us to Jesus in a special way. The Eucharist is a sacred meal of thanksgiving. Jesus shares his own Body and Blood with us in Holy Communion.

You participate in the Eucharist by coming to Mass with your family.

❓ **How are the Sacraments of Initiation signs of belonging?**

Faith at Home

Share stories and pictures of your child's Baptism. Include the white garment and baptismal candle received on the day of Baptism. Express your happiness that your child is now preparing to receive Holy Communion for the first time.

Hijos de la luz

Responde

Describe a un discípulo En el cartel que está a continuación, colorea las palabras "Hijo de la luz". Luego escribe palabras que describan a un discípulo de Jesús.

feliz respetoso

royaloso

Bendición final

Reúnanse y empiecen con la señal de la cruz.

Líder: Dios, Padre nuestro, te damos gracias por elegirnos para ser tus hijos e hijas.

Todos: Amén.

Líder: Jesús, Hijo de Dios, te damos gracias por enseñarnos a vivir.

Todos: Amén.

Líder: Espíritu Santo, dador de los dones de Dios, te alabamos y te damos gracias por guiarnos.

Children of Light

Respond

Describe a disciple In the banner below, color in the words "Child of the Light." Then write words that describe a follower of Jesus.

Child of the Light

_____

_____

_____

Closing Blessing

Gather and begin with the Sign of the Cross.

Leader: God, our Father, we thank you for choosing us to be your children.

All: Amen.

Leader: Jesus, the Son of God, we thank you for showing us how to live.

All: Amen.

Leader: Holy Spirit, giver of God's gifts, we praise and thank you for guiding us.

 Sing together.

I believe in God the Father
I believe in God the Son
I believe in the Spirit
And the strength that makes us one.

Yes Lord, I Believe! © 2000 John Burland

19

La fe en el hogar

Enfoque en la fe

- Un sacramento es un signo externo que viene de Jesús y nos da la gracia.

- El bautismo, la confirmación y la eucaristía se llaman sacramentos de la iniciación.

- Los sacramentos de la iniciación nos hacen miembros de la Iglesia.

Enfoque del rito

Renovación de las promesas del bautismo

La celebración se centró en la renovación de las promesas del bautismo. Los niños las renovaron. Durante la semana, usen el texto de las páginas 2 y 4 y renueven sus propias promesas del bautismo con su hijo o hija y con el resto de la familia.

www.osvcurriculum.com

Visite nuestro sitio Web y encontrará lecturas semanales de la Sagrada Escritura y preguntas, recursos para la familia y otras actividades.

Actúa

Compartan juntos Lean Juan 15:1–17. Hablen sobre qué acciones muestran que somos amigos de Jesús. Con una caja de zapatos, preparen una caja que llamarán "Amigos de Jesús". Inviten a los miembros de la familia a buscar ejemplos de cómo actúan los demás como amigos de Jesús. Escriban los ejemplos en papel y pónganlos en la caja. Al final de la semana, lean los papeles y compartan lo que aprendieron.

Amigos de Jesús

Actúen juntos Cuando conversen sobre el bautismo de su hijo o hija, hablen sobre todas las cosas que hicieron para la preparación de su nacimiento. Mencionen que algunos bebés nacen en familias que no tienen los medios para esta preparación. Conversen sobre lo que ustedes y su hijo o hija podrían hacer para ayudar. (Sugerencias: Comprar alimentos de bebé o pañales que pueden llevar a un albergue para personas sin casa u orar por estos niños en un momento específico todos los días.)

Oración en familia

Dios, Padre nuestro, te damos gracias por hacernos tus hijos e hijas. Creemos en ti y pertenecemos a ti. Te pedimos que nos guardes cerca de ti. Muéstranos cómo amarnos los unos a los otros como tú nos has amado. Amén.

20

Faith Focus

- A Sacrament is an outward sign that comes from Jesus and gives us grace.

- Baptism, Confirmation, and Eucharist are called Sacraments of Initiation.

- The Sacraments of Initiation make us members of the Church.

Ritual Focus

Renewal of Baptismal Promises

The celebration focused on the Renewal of Baptismal Promises. The children renewed their baptismal promises. During the week, use the text on pages 2–3, and renew your own baptismal promises with your child and the rest of the family.

Act

Share Together   Read John 15:1–17. Talk about what actions show we are friends of Jesus. Using a shoe box, create a "Friends of Jesus" box. Invite family members to look for examples of how others are acting as friends of Jesus, write the examples on pieces of paper, and place them in the box. At the end of the week, read the slips of paper and share what you have learned.

Do Together   When discussing your child's Baptism, talk about all of the things you did to prepare for his or her birth. Point out that some babies are born into families who do not have the means to prepare for them. Discuss what you and your child could do to help. (Suggestions: Buy baby food or diapers for a homeless shelter, or pray for these children at a specific time every day.)

Friends of Jesus

Family Prayer

God, our Father, thank you for making us your children. We believe in you and we belong to you. We ask you to keep us close to you. Show us how to love each other as you have loved us. Amen.

GO online **www.osvcurriculum.com**
Visit our website for weekly Scripture readings and questions, family resources, and more activities.

2 Nos reunimos

Nos reunimos

Enfoque del rito: Procesión y gloria

Avancen lentamente. Sigan a la persona que lleva la Biblia.

Líder: Oremos.

Hagan juntos la señal de la cruz.

Dios, Padre amado, te alabamos por tu bondad y te damos gracias por el don de tu Hijo, Jesús.

Envíanos a tu Espíritu Santo para que nos ayude a vivir como hijos tuyos. Te lo pedimos por Jesucristo, nuestro Señor.

Todos: Amén.

Líder: Todos los domingos, nos reunimos como pueblo de Dios para alabarlo y para darle gracias por todo lo que ha hecho. Hoy hacemos lo mismo.

Avancen y reúnanse alrededor del agua bendita y del cirio.

Señor Jesús, viniste para reunir a todas las personas en el Reino de tu Padre.

Todos: Te glorificamos y te damos gracias.

Líder: Señor Jesús, viniste a traernos vida nueva.

2 We Gather

We Gather

Ritual Focus: Procession and Gloria

As you sing, walk forward slowly.
Follow the person carrying the Bible.

 Sing together.

Glory to God. Glory to God.

Glory to God in the highest!

And on earth, peace on earth,

peace to people of good will.

©2007, 2009, Daniel L. Schutte.
Published by OCP Publications

Leader: Let us pray.

Make the Sign of the Cross
together.

God, our Loving Father,
we praise you for your
goodness and thank you
for the gift of your Son,
Jesus. Send us your Holy
Spirit to help us live as
your children. We ask
this through Jesus Christ
our Lord.

All: Amen.

Leader: Every Sunday we come
together as God's people
to praise him and to give
him thanks for everything
he has done. Today we do
the same.

Come forward, and gather around
the holy water and candle.

Lord Jesus, you came to
gather all people into your
Father's Kingdom.

All: We give you glory and
thanks.

Leader: Lord Jesus, you came to
bring us new life.

23

Todos: Te glorificamos y te damos gracias.

Líder: Señor Jesús, viniste a salvarnos.

Todos: Te glorificamos y te damos gracias.

Líder: Alabemos a Dios y démosle gracias.

Escuchamos

Líder: Dios, Padre nuestro, sólo tú eres santo. Te pedimos que nos ayudes a ser hijos agradecidos que siempre recuerdan tu gloria. Te lo pedimos por Jesucristo, nuestro Señor.

Todos: Amén.

Líder: Lectura de los Hechos de los Apóstoles.

Lean Hechos 2:42–47.

Palabra de Dios.

Todos: Te alabamos, Señor.

Siéntense en silencio.

Evangelicemos

Líder: Dios, Espíritu Santo, te alabamos y te damos gracias por tus dones. Concédenos que nuestros actos muestren tus dones a los demás. Te lo pedimos por Jesucristo, nuestro Señor.

Todos: Amén.

24

All: We give you glory and thanks.

Leader: Lord Jesus, you came to save us.

All: We give you glory and thanks.

Leader: Let us give praise and thanks to God.

We Listen

Leader: God, our Father, you alone are holy. We ask you to help us be grateful children who always remember your glory. We ask this through Jesus Christ our Lord.

All: Amen.

Leader: A reading from the Acts of the Apostles.

Read Acts 2:42–47.

The word of the Lord.

All: Thanks be to God.

Sit silently.

We Go Forth

Leader: God, the Holy Spirit, we praise you and thank you for your gifts. May we act in ways that show your gifts to others. We ask this through Jesus Christ our Lord.

All: Amen.

Sing the opening song together.

25

Reunidos

Asamblea

Muchas personas diferentes vienen a reunirse en la misa. Cada una de ellas viene a alabar a Dios, a agradecerle y a pedirle sus bendiciones. Cuando nos reunimos para dar gracias y alabar a Dios, somos una **asamblea** de personas que creen en Jesús. Cuando la asamblea se reúne, Dios está ahí.

Reflexiona

Procesión y gloria   Haz un dibujo que muestre lo que quieres agradecer a Dios y por lo que quieres alabarlo.

Gathered Together

Assembly

Many different people come together at Mass. Each person comes to praise and give thanks to God and to ask for his blessings. When we gather together to give God thanks and praise, we are an **assembly** of people who believe in Jesus. When the assembly gathers, God is there.

Reflect

Procession and Gloria Draw a picture of what you want to thank and praise God for.

27

Nos reunimos

Cada vez que nos reunimos en grupo, nos juntamos para orar. Cuando empezamos a formar la **procesión** para nuestra celebración, nos estamos reuniendo para la oración. La **oración** es hablar con Dios y escucharlo. La procesión nos reúne como comunidad dispuesta para la oración.

Durante la misa, oramos de muchas maneras diferentes. Cuando nos ponemos de pie, rezamos una oración de reverencia. Las oraciones se pueden decir. Podemos decir el Señor, ten piedad. Podemos pedir la ayuda de Dios. Las oraciones se pueden cantar. En la misa podemos cantar el gloria. También oramos en silencio. Un momento en el que oramos en silencio es después de la lectura del Evangelio.

SIGNOS DE FE

Procesión

Una procesión es un grupo de personas que caminan juntas hacia adelante como parte de una celebración. Las procesiones en la misa nos recuerdan que caminamos con Dios y que Dios camina con nosotros. En la misa, el sacerdote y los otros ministros entran en la iglesia en procesión. Las ofrendas se llevan al altar en procesión. Vamos en procesión a recibir a Jesús en la sagrada comunión.

We Come Together

Every time we gather as a group, we come together to pray. When we begin to form the procession for our celebration, we are gathering for prayer. **Prayer** is talking and listening to God. The procession gathers us as a community ready for prayer.

During the Mass, we pray in many different ways. When we stand, we pray a prayer of reverence. Prayers can be said. We can say the Lord Have Mercy (*Kyrie, eleison*). We can ask for God's help. Prayers can be sung. We can sing the Glory to God in Mass. We pray in silence during the Mass, too. One time we pray in silence is after the Gospel reading.

SIGNS OF FAITH

Procession

A **procession** is a group of people moving forward as part of a celebration. Processions at Mass remind us that we are walking with God and that God is walking with us. At Mass the priest and other ministers come into the church in a procession. People bring the gifts to the altar in a procession. We walk in a procession to receive Jesus in Holy Communion.

Nos reunimos como pueblo de Dios

Enfoque en la fe

¿Qué es una comunidad de fe?

Los primeros discípulos de Jesús se reunían frecuentemente a orar y a recordarlo. Eran como una familia. Su fe en Jesús los transformó en una comunidad de fe.

Sagrada Escritura

HECHOS 2:42–47

Los primeros cristianos

Los miembros de la primera comunidad cristiana se reunían una y otra vez. Tenían que conocerse. Estudiaban las enseñanzas de los Apóstoles. Iban todos los días a orar al Templo, igual que lo habían hecho antes de conocer a Jesús. Los domingos se reunían en una de sus casas. Allí compartían el pan y oraban juntos. Compartían el Cuerpo y la Sangre del Señor.

We Gather as God's People

What is a community of faith?

The early followers of Jesus gathered often to pray and to remember him. They were like a family. Their faith in Jesus made them a community of faith.

Scripture

ACTS 2:42–47

The Early Christians

The members of the early Christian community gathered together over and over again. They got to know one another. They studied the teachings of the Apostles. Every day they went to the Temple to pray just as they had before they knew Jesus. On Sunday they gathered at one of their homes. In their homes they broke bread and prayed together. They shared the Lord's Body and Blood.

31

Los primeros discípulos de Jesús compartían sus pertenencias. Vendían sus propiedades y sus posesiones y se aseguraban de que todos tuvieran lo que necesitaban. Cada vez que comían juntos, alababan a Dios y le daban gracias. Eran muy dichosos. Cuando las demás personas vieron lo felices que ellos eran, quisieron formar parte de su comunidad. Querían creer en Jesús y seguirlo.

BASADO EN HECHOS 2:42–47

❓ ¿De qué manera fueron los primeros cristianos una comunidad de fe?

❓ ¿De qué manera es tu Iglesia una comunidad de fe?

La fe en el hogar

Lean el relato de la Sagrada Escritura con su hijo o hija. Explíquele que muchos de los primeros cristianos eran judíos e iban al Templo. Coméntele que ellos no tenían iglesias a donde concurrir. Hablen de la forma en que su familia y su parroquia se preocupan por las necesidades de los otros cristianos.

Comparte

Escribe una obra teatral Con un compañero o compañera prepara una obra para mostrar algo de lo que haces por pertenecer a una comunidad de fe. Representa la obra para la clase.

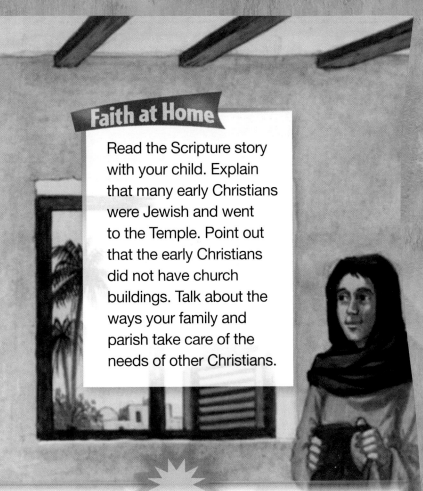

The early followers of Jesus shared their belongings with one another. They sold their property and possessions and made sure everyone had what they needed. Every time they ate together, they gave praise and thanks to God. They were very joyful. When other people saw how happy the followers of Jesus were, they wanted to join their community. They wanted to believe in Jesus and follow him.

BASED ON ACTS 2:42–47

❓ **How were the early Christians a community of faith?**

❓ **How is your Church a community of faith?**

Faith at Home

Read the Scripture story with your child. Explain that many early Christians were Jewish and went to the Temple. Point out that the early Christians did not have church buildings. Talk about the ways your family and parish take care of the needs of other Christians.

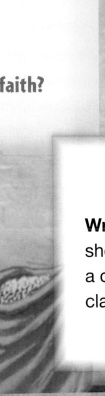

Share

Write a play   With a partner, prepare a play showing one thing you do because you belong to a community of faith. Act out the play for the class.

El pueblo se reúne

SIGNOS DE FE

Oración y canto

El canto es una forma de oración. Cuando cantamos durante la misa, levantamos la mente, el corazón y la voz para alabar a Dios de una manera especial. Toda la asamblea canta cantos e himnos. A veces el coro canta y la asamblea escucha. Algunas veces el sacerdote canta algunas partes de la misa.

Enfoque en la fe

¿Qué sucede cuando nos reunimos como comunidad de fe?

Igual que los primeros cristianos, nosotros también celebramos la eucaristía con una comunidad. Nuestra comunidad de fe es nuestra familia de la Iglesia. Durante la misa, nos reunimos como el Cuerpo de Cristo. Todos los sábados por la tarde o los domingos, nos reunimos con la comunidad de nuestra parroquia para la celebración de la misa.

Para los cristianos, el domingo es un día importante. Jesús resucitó de entre los muertos el domingo de Pascua. Esto es tan importante que la Iglesia nos exige que participemos en la misa dominical todas las semanas. Los domingos nos reunimos en asamblea para alabar a Dios y darle gracias, para escuchar la Palabra de Dios y para pedirle su bendición. Además, recordamos la muerte, Resurrección y Ascensión de Jesús, y compartimos el Cuerpo y la Sangre del Señor. Luego nos envían a vivir como discípulos de Jesús.

Cuando nos reunimos para la misa, nos saludamos. Compartimos nuestra alegría mientras cantamos y oramos.

The People Gather

Prayer and Singing

Singing is a way to pray. When we sing during Mass, we lift our minds, hearts, and voices to praise God in a special way. The whole assembly sings songs and hymns. Sometimes the choir sings and the assembly listens. The priest sometimes sings parts of the Mass.

Faith Focus

What happens when we gather as a community of faith?

Like the first Christians, we celebrate the Eucharist with a community, too. Our faith community is our Church family. During Mass we come together as the Body of Christ. Every Saturday evening or Sunday, we gather with our parish community for the celebration of Mass.

Sunday is an important day for Christians. Jesus rose from the dead on Easter Sunday. It is so important that the Church requires us to participate in Sunday Mass every week. We come together as an assembly on Sunday to give God thanks and praise, to listen to God's word, and to ask for his blessing. We also remember Jesus' death, Resurrection, and Ascension and share the Lord's Body and Blood. Then we are sent forth to live as Jesus' followers.

When we gather for Mass, we greet one another. We share our joy as we sing and pray.

Los ritos iniciales

Las oraciones y las acciones que dan comienzo a la misa se llaman ritos iniciales. Los ritos iniciales nos ayudan a disponer el corazón y la mente para la gran celebración de la eucaristía. El sacerdote preside la asamblea en la celebración de la misa. La misa comienza cuando el sacerdote camina en procesión hacia el altar. Todos nosotros en la asamblea nos ponemos de pie y cantamos.

El sacerdote nos saluda diciendo: "El Señor esté con vosotros". Y nosotros contestamos: "Y con tu espíritu". Sabemos que Dios Padre, su Hijo Jesús y el Espíritu Santo están con nosotros. Juntos damos gracias a Dios por su bondad.

? **¿Cómo mostramos que estamos unidos cuando nos reunimos para la misa?**

La fe en el hogar

Conversen sobre las respuestas a la pregunta. Comenten cuáles son sus cantos preferidos de la misa. Si tienen el CD de música *Songs of Celebration*, dediquen un tiempo a escucharlo. Usen esta página para repasar los ritos iniciales. Analicen las respuestas con su hijo o hija.

Introductory Rites

The prayers and actions that begin the Mass are called the Introductory Rites. The Introductory Rites help us turn our hearts and minds to the great celebration of the Eucharist. The priest leads the assembly in the celebration of the Mass. Mass begins when he walks in procession to the altar. All of us in the assembly stand and sing.

The priest greets us. He often says "The Lord be with you," or similar words. We answer "And with your spirit." We know that God the Father, his Son Jesus, and the Holy Spirit are with us. Together we thank God for his goodness.

❓ **How do we show we are united as we gather for the Mass?**

Faith at Home

Discuss responses to the question. Talk about which songs sung during Mass are your favorites. If you have the *Songs of Celebration* CD for this program, spend some time listening to the songs. Use this page to go over the Introductory Rites. Review the responses with your child.

Alabar y dar gracias

Responde

Haz una lista En el siguiente espacio, haz una lista de las razones por las cuales quieres alabar a Dios y darle gracias.

1. Familia
2. vida
3. todo lo que nesesito
4. Animals, pets
5. Sol luna
6. breath smell
7. casa

Bendición final

Reúnanse y comiencen con la señal de la cruz.

Líder: Dios, Padre nuestro, te alabamos y te damos gracias por reunirnos como hijos tuyos. Envíanos tu Espíritu Santo para que aumente nuestra fe y fortalezca nuestra comunidad.

Te lo pedimos en el nombre de Jesucristo, nuestro Señor.

Todos: Amén.

Líder: Vayan en paz para amar y servir a Dios.

Todos: Demos gracias a Dios.

Give Praise and Thanks

Respond

Make a list In the space below, make a list of reasons you want to give God praise and thanks.

1. _____

2. _____

3. _____

Closing Blessing

Gather and begin with the Sign of the Cross.

Leader: God, our Father, we praise and thank you for gathering us as your children. Send us your Holy Spirit to increase our faith and make our community strong.

We ask this in the name of Jesus Christ our Lord.

All: Amen.

Leader: Go in peace.

All: Thanks be to God.

🎼 Sing together.

Glory to God. Glory to God. Glory to God in the highest! And on earth, peace on earth, peace to people of good will.

La fe en el hogar

Enfoque en la fe

- La Iglesia es el pueblo de Dios y el Cuerpo de Cristo.

- La eucaristía, o misa, es el acto de alabanza y de agradecimiento más importante de la Iglesia.

- Los ritos iniciales nos reúnen como comunidad de fe.

Enfoque del rito
Procesión y gloria

La celebración se centró en la procesión y en el gloria. Los niños cantaron el gloria y rezaron una letanía de gloria y alabanza a Dios. Durante la semana, recen y comenten el significado de los versos del gloria que se encuentran en la página 23.

APRENDE en línea

www.osvcurriculum.com

Visite nuestro sitio Web y encontrará lecturas semanales de la Sagrada Escritura y preguntas, recursos para la familia y otras actividades.

Actúa

Compartan juntos Lean Hechos 2:42–47. Hablen acerca de cómo debe haber sido para los primeros cristianos vivir como una comunidad de fe. Pongan énfasis en el hecho de que compartían sus posesiones y llevaban una vida de oración. Escojan una manera en que su familia puede continuar viviendo como una comunidad de fe, por ejemplo: ir a misa o compartir su tiempo y sus talentos con los demás.

Oren juntos Hagan juntos una lista de todas las cosas por las que quieren dar gracias a Dios. Lean la lista en forma de letanía. Una persona dice: "Por el sol y la lluvia", y todos los demás responden: "Te damos gracias, Señor". Durante las próximas semanas, elijan momentos adecuados para rezar una oración de acción de gracias con su hijo o hija, o con su familia.

Letanía

Oración en familia

Dios amoroso, somos tu pueblo. Gracias por el don de la fe. Ayúdanos a estar cada vez más cerca como familia. Fortalece nuestra fe en ti. Amén.

Faith at Home

Faith Focus

- The Church is the People of God and the Body of Christ.

- The Eucharist, or Mass, is the Church's most important action of praise and thanks.

- The Introductory Rites gather us as a community of faith.

Ritual Focus
Procession and Gloria

The celebration focused on the Procession and Gloria. The children sang the Gloria and prayed a litany of glory and praise to God. During the week, pray and talk about the meaning of the verses of the Gloria found on page 12.

Act

Share Together   Read Acts 2:42–47. Talk about what it must have been like for the early Christians to live as a community of faith. Emphasize the sharing of their possessions and their prayer life. Decide one way your family can continue to live as a community of faith, such as going to Mass or sharing your time and talents with others.

Pray Together   Together, make a list of all the things you want to thank God for. Read the list as a litany. One person prays, "For sun and rain," and everyone responds, "We thank you, God." During the weeks ahead, select appropriate times to pray a thanksgiving prayer with your child or family.

Litany

Family Prayer

Loving God, we are your people. Thank you for the gift of faith. Help us grow closer as a family. Strengthen our faith in you. Amen.

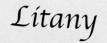
GO online **www.osvcurriculum.com**
Visit our website for weekly Scripture readings and questions, family resources, and more activities.

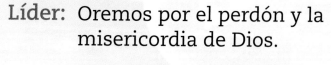

3 Somos perdonados

Nos reunimos

Enfoque del rito: Acto penitencial

Procesión

Avancen lentamente. Sigan a la persona que lleva la cruz y la Biblia.

Líder: Oremos.

> Hagan juntos la señal de la cruz.

Yo confieso

Líder: Dios quiere que estemos unidos a Él. Pensemos en las veces en las que no hemos estado unidos a Dios o a los demás.

> Siéntense en silencio.

Líder: Oremos por el perdón y la misericordia de Dios.

> Avancen y reúnanse alrededor del agua bendita y el cirio.

Todos: Yo confieso ante Dios todopoderoso y ante vosotros, hermanos, que he pecado mucho de pensamiento, palabra, obra y omisión. Por mi culpa, por mi culpa, por mi gran culpa. Por eso ruego a Santa María, siempre Virgen, a los ángeles y a los santos y a vosotros, hermanos, que intercedáis por mí ante Dios, nuestro Señor.

Líder: El Señor perdone nuestros pecados y nos una a Él y los unos con los otros.

Todos: Amén.

We Gather

Ritual Focus: Penitential Act

Procession

As you sing, walk forward slowly. Follow the person carrying the cross and Bible.

 Sing together.

Create in me a clean heart, O God.
A clean heart, O God, create in me.

Leader: Let us pray.

Make the Sign of the Cross.

Confiteor

Leader: Brothers and sisters, let us acknowledge our sins, and so prepare ourselves to celebrate the sacred mysteries.

Come forward, and gather around the holy water. Pause.

All: I confess to almighty God
and to you, my brothers and sisters,
that I have greatly sinned,
in my thoughts and in my words,
in what I have done and in what
I have failed to do,

Gently strike your chest with a closed fist.

All: through my fault, through my fault,
through my most grievous fault;

Continue:

All: therefore I ask blessed Mary
ever-Virgin,
all the Angels and Saints,
and you, my brothers and
sisters,
to pray for me to the Lord our God.

Leader: May almighty God have mercy
on us,
forgive us our sins,
and bring us to everlasting life.

All: Amen.

Escuchamos

Líder: Dios, Padre amado, tú que nos llamas al perdón y a la paz. Tú que nos quieres unidos en ti. Ayúdanos a perdonar a los demás así como tú nos perdonas. Te lo pedimos por Jesucristo, nuestro Señor.

Todos: Amén.

Líder: Lectura del santo Evangelio según san Mateo.

Todos: Gloria a ti, Señor.

Líder: Lean Mateo 9:9–13.

Palabra del Señor.

Todos: Gloria a ti, Señor Jesús.

Siéntense en silencio.

Evangelicemos

Líder: Ofrezcámonos mutuamente la señal de la paz.

Dense la señal de la paz unos a otros.
Digan: "La paz del Señor esté contigo".
Respondan: "Y con tu espíritu".

Vayamos ahora unidos en el amor de Dios.

Todos: Amén.

We Listen

Leader: God, our loving Father, you call us to forgiveness and peace. You want us to be united in you. Help us forgive others as you forgive us. We ask this through Jesus Christ our Lord.

All: Amen.

Leader: A reading from the holy Gospel according to Matthew.

All: Glory to you, O Lord.

Leader: Read Matthew 9:9–13.

The Gospel of the Lord.

All: Praise to you, Lord Jesus Christ.

Sit silently.

We Go Forth

Leader: Let us offer each other the Sign of Peace.

Give the Sign of Peace to one another.
Say: "The peace of the Lord be with you always."

Answer: "And with your spirit."

Go forth united in God's love.

All: Amen.

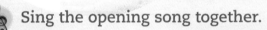 Sing the opening song together.

45

El perdón de Dios

SIGNOS DE FE

Señor, ten piedad

A veces en la misa, durante el acto penitencial, decimos la oración Señor, ten piedad. Éstas son las palabras que las personas le dicen a Jesús cuando le piden que las sane. Cuando rezamos estas palabras en la misa, le pedimos a Jesús que nos sane y que perdone nuestros pecados y los pecados del mundo. Queremos el perdón para todos y que por siempre estemos unidos a Dios y entre nosotros.

Reflexiona

Yo confieso   Dibuja una ocasión en que hayas dicho: "Perdóname" y la otra persona dijo: "Te perdono".

Perdóname.

Te perdono.

46

God's Forgiveness

Lord Have Mercy (*Kyrie, eleison*)
Sometimes in the Mass, during the Penitential Act, we say the prayer Lord Have Mercy (*Kyrie, eleison*). These are the words that people say to Jesus when they ask him to heal them. When we pray these words at Mass, we ask Jesus to heal and forgive our sins and the sins of the world. We want everyone to be forgiven and united to God and one another forever.

Reflect

Confiteor   Draw the story of a time when you said, "I am sorry," and the other person said, "I forgive you."

"I am sorry."

"I forgive you."

Todos somos uno

Así como nuestros padres quieren que nuestra familia esté unida, o que sea una, también Dios quiere que permanezcamos unidos a Él. Cuando nos reunimos para la misa, recordamos que Dios quiere que nos amemos y nos cuidemos los unos a los otros.

Pero, a veces, no les demostramos amor a los demás. Al comienzo de la misa, rezamos una oración para demostrar que estamos arrepentidos. Les decimos a Dios y a la familia de la Iglesia: "Perdónenme". Pedimos perdón. Nos unimos a Dios y a nuestra familia de la Iglesia.

SIGNOS DE FE

Silencio

En la misa hay momentos especiales de silencio. Estos momentos nos unen a Dios. Durante estos momentos hablamos con Dios en nuestro corazón. Mantenemos la mente y el corazón abiertos a lo que Dios desea compartir con nosotros.

We Are One

Just as our parents want our family to be united, or joined together, God wants us to be united to him. When we gather for Mass, we remember that God wants us to love and care for each other.

But sometimes we do not show love to others. In the beginning of the Mass, we say a prayer to show we are sorry. We tell God and the Church family, "I am sorry." We ask forgiveness. We are united with God and our Church family.

SIGNS OF FAITH

Silence

There are special times of quiet at Mass. These times of silence unite us to God. During the silent times, we talk to God in our hearts. We keep our minds and hearts open to what God may be sharing with us.

Jesús llama a los pecadores

Enfoque en la fe

¿Por qué comió Jesús con los pecadores?

Jesús se hacía amigo de las personas que se habían apartado de Dios. Comía y bebía con ellas. Quería que supieran que Dios, su Padre, las acogía y deseaba que todos estuvieran unidos a Él.

Sagrada Escritura

MATEO 9:9–13

El llamado de Mateo

Un día Jesús vio a Mateo, que era cobrador de impuestos, cobrándole a la gente. A muchos judíos les desagradaban los cobradores de impuestos. Y nunca se habrían hecho amigos de ellos. Pero Jesús quería que Mateo fuera su amigo.

—Mateo, sígueme —dijo Jesús. Mateo dejó su trabajo de inmediato y siguió a Jesús.

Después, Jesús cenó en la casa de Mateo. Muchos cobradores de impuestos y pecadores vinieron a comer con Mateo y con Jesús y sus discípulos.

Jesus Calls Sinners

Why did Jesus eat with sinners?

Jesus made friends with people who had turned away from God. He ate and drank with them. He wanted them to know that God, his Father, welcomed them and wanted to be one with them.

Scripture

MATTHEW 9:9–13

The Call of Matthew

One day Jesus saw Matthew, a tax collector, collecting taxes from the people. Many Jewish people did not like tax collectors. They would not be friends with them. But Jesus wanted Matthew to be his friend.

Jesus said, "Matthew, follow me." Matthew left his job right away and followed Jesus.

Later, Jesus had dinner at Matthew's house. Many tax collectors and sinners came and ate with Matthew, Jesus, and Jesus' disciples.

Los fariseos eran líderes y maestros judíos. Ellos vieron a Jesús comiendo con los pecadores y los cobradores de impuestos y les preguntaron a los discípulos de Jesús: "¿Cómo es que su Maestro come con esta gente?".

—Como con ellos porque he venido a llamar a los pecadores para que sean uno con mi Padre —dijo Jesús cuando oyó la pregunta.

BASADO EN MATEO 9:9–13

❓ ¿Cómo crees que se sintió Mateo cuando Jesús le pidió que fuera su discípulo?

❓ ¿Qué te dicen las palabras de Jesús?

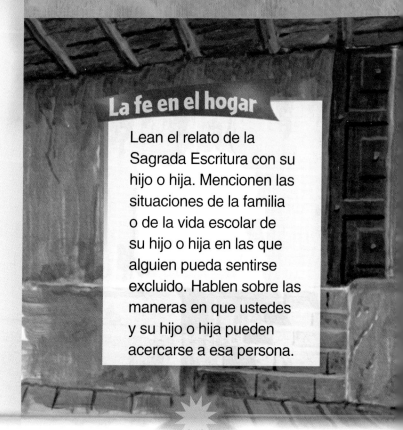

La fe en el hogar

Lean el relato de la Sagrada Escritura con su hijo o hija. Mencionen las situaciones de la familia o de la vida escolar de su hijo o hija en las que alguien pueda sentirse excluido. Hablen sobre las maneras en que ustedes y su hijo o hija pueden acercarse a esa persona.

Comparte

Escribe una rima Escribe una oración que rime con ésta:

Jesús siempre me recibe.

_____

_____

The Pharisees were Jewish leaders and teachers. They saw Jesus eating with sinners and tax collectors. They asked Jesus' disciples, "Why does your teacher eat with these people?"

When Jesus heard their question, he said, "I eat with them because I came to call sinners to be one with my Father."

BASED ON MATHEW 9:9–13

? How do you think Matthew felt when Jesus asked him to become a follower?

? What do Jesus' words tell you?

Share

Write a rhyme   Write a sentence that rhymes with this:

Jesus always welcomes me.

_____

_____

Acto penitencial

SIGNOS DE FE

Aspersión del agua bendita

Durante algunas misas dominicales, el sacerdote camina por la iglesia y rocía a la asamblea con agua bendita. Esta aspersión del agua bendita nos recuerda nuestro bautismo. Cuando el sacerdote hace la aspersión con el agua, ésta sustituye el acto penitencial.

Enfoque en la fe

¿Qué sucede durante el acto penitencial?

Igual que los pecadores de los tiempos de Jesús, a veces necesitamos que Jesús nos vuelva a llamar a amar a su Padre.

- Tal vez hacemos cosas que hieren a los demás.

- Tal vez no hacemos cosas que pueden ayudar a los demás.

- Tal vez no cumplimos la ley de Dios al hacer lo que sabemos que está mal.

Cuando hacemos estas cosas, no somos uno con Dios ni con nuestro prójimo. Pero, cuando venimos a la misa a compartir una comida con Jesús, Él nos acoge. Es el momento de volver a ser uno con Dios y con los demás. La eucaristía es un sacramento de perdón y de unidad. Sin embargo, quien no haya confesado sus pecados mortales debe recibir el sacramento de la penitencia antes de participar en la eucaristía.

Penitential Act

Sprinkling with Holy Water

During some Sunday Masses, the priest walks through the church and sprinkles the assembly with holy water. The sprinkling reminds us of our Baptism. When the priest does the sprinkling with holy water, it takes the place of the Penitential Act.

Faith Focus

What happens during the Penitential Act?

Like the sinners in Jesus' time, sometimes we need Jesus to call us back to loving his Father.

- We may do things that hurt others.

- We may not do things that help people.

- We may not follow God's law by doing what we know is wrong.

When we do these things, we are not at one with God or others. But when we come to Mass to share a meal with Jesus, Jesus welcomes us. It is a time to become one again with God and others. The Eucharist is a Sacrament of forgiveness and unity. However, anyone who has not confessed mortal sins must receive the Sacrament of Penance before participating in the Eucharist.

Nos arrepentimos

Después del canto de entrada y del saludo, oramos juntos para pedirle perdón a Dios durante el acto penitencial. Le pedimos a Dios que a todos nos haga uno otra vez. El sacerdote nos invita a recordar nuestros pecados y a arrepentirnos de ellos.

Rezamos el yo confieso, una oración de arrepentimiento que empieza con las palabras "Yo confieso". A veces rezamos también el Señor, ten piedad. Cuando hacemos esto, el sacerdote ora tres oraciones a Jesús, a las cuales nosotros respondemos: "Señor, ten piedad; Cristo, ten piedad; Señor, ten piedad". Al final del acto penitencial, el sacerdote dice esta oración:

"Dios todopoderoso, tenga misericordia de nosotros, perdone nuestros pecados y nos lleve a la vida eterna".

Después del acto penitencial, el Espíritu Santo continúa uniéndonos como asamblea. Terminan así los ritos iniciales. Ahora estamos preparados para escuchar la Palabra de Dios.

❓ **¿Por qué te parece que es importante el acto penitencial?**

La fe en el hogar

Refuercen el significado del acto penitencial con su hijo o hija. Tomen como ejemplo las veces que alguien de su familia pidió perdón a los demás. Hagan notar que las relaciones crecen y se fortalecen cuando las personas piden perdón y lo reciben. Usen las páginas 42 y 44 para ayudar a su hijo o hija a aprender las respuestas y las oraciones del acto penitencial.

We Are Sorry

After the opening song and greeting, we pray together for God's forgiveness during the Penitential Act. We ask God to make us one again. The priest invites us to remember our sins and be sorry for them.

We pray the Confiteor, a prayer of sorrow that begins with the words, "I confess." Sometimes we also pray the Lord Have Mercy (*Kyrie, eleison*). When we do this, the priest prays three prayers to Jesus, and we answer him. We pray, "Lord, have mercy, Christ, have mercy, Lord, have mercy" or "Kyrie, eleison, Christe, eleison, Kyrie, eleison." At the end of the Penitential Act, the priest says this prayer:

"May almighty God have mercy on us, forgive us our sins, and bring us to everlasting life."

After the Penitential Act, the Holy Spirit continues to unite us as an assembly. The Introductory Rites end. We are now ready to listen to God's word.

❓ **Why do you think the Penitential Act is important?**

57

Perdonamos

Responde

Haz un tablero de anuncios que incluya las formas en que perdonamos en casa, en la escuela y en la iglesia.

Bendición final

Reúnanse y comiencen con la señal de la cruz.

Líder: Dios, Padre nuestro, te alabamos y te damos gracias por ser un Dios que perdona.

Todos: Amén.

Líder: Jesús, nuestro Salvador, te alabamos y te damos gracias por recibir a los pecadores y por enseñarnos a vivir y a amar.

Todos: Amén.

Líder: Espíritu Santo, dador de los dones de Dios, te alabamos y te damos gracias por darnos el valor de decir "Perdóname" y de perdonar a los demás.

Todos: Amén.

We Forgive

Respond

Make a bulletin board about ways we forgive at home, school, and at church.

Closing Blessing

Gather and begin with the Sign of the Cross.

Leader: God, our Father, we praise and thank you for being a God who forgives.

All: Amen.

Leader: Jesus, our Savior, we praise and thank you for welcoming sinners and showing us how to live and love.

All: Amen.

Leader: Holy Spirit, giver of God's gifts, we praise and thank you for giving us courage to say "I am sorry" and to forgive others.

All: Amen.

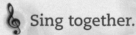 Sing together.

Create in me a clean heart, O God.

A clean heart, O God, create in me.

La fe en el hogar

Enfoque en la fe

- La eucaristía es un sacramento de unidad y de perdón.

- El pecado nos impide que seamos un solo pueblo de Dios.

- En la misa le pedimos perdón a Dios durante el acto penitencial.

Enfoque del rito

Acto penitencial La celebración se centró en el acto penitencial. Los niños rezaron el yo confieso. Durante la semana, antes de ir a dormir, recen el yo confieso con su hijo o hija.

Actúa

Compartan juntos Al decir "perdóname" y "te perdono", realizamos actos importantes en la vida de una familia. El pedir perdón y el perdonar pueden fortalecer las relaciones. A veces buscamos el perdón de manera indirecta, haciendo algo especial por la persona a la que ofendimos. Pidan a cada miembro de su familia que dibuje la forma en que han visto a alguno de ustedes perdonar a otro. Inviten a los miembros de la familia a compartir un relato sobre lo que su dibujo representa.

Oren juntos Admitir que nos hemos ofendido mutuamente y decir "perdóname" no siempre son cosas fáciles de hacer. Escojan un momento para reunirse a orar. Empiecen con una oración al Espíritu Santo. Inviten a los miembros de la familia a pedir perdón, a otorgarlo y a recibirlo por las veces que pudieron haberse ofendido mutuamente durante la semana.

Oración en familia

Dios misericordioso, gracias siempre por perdonarnos. Por el poder del Espíritu Santo, ayúdanos a cambiar y a parecernos más a tu Hijo Jesús. Haznos a todos uno en el amor contigo y con los demás. Amén.

Faith at Home

Faith Focus

- The Eucharist is a Sacrament of unity and forgiveness.

- Sin keeps us from being one People of God.

- At Mass we ask God's forgiveness during the Penitential Act.

Ritual Focus

Penitential Act   The celebration focused on the Penitential Act. The children prayed the Confiteor. During the week pray the Confiteor with your child.

Act

Share Together   Saying "I am sorry" and "I forgive you" are important moments in the life of a family. Asking for and giving forgiveness can strengthen relationships. Sometimes, we seek forgiveness in indirect ways, by doing something special for the person we hurt. Have each family member draw a picture of one way they have seen a family member forgive another. Invite family members to share the story behind the picture.

Pray Together   Admitting we have hurt one another and saying "I am sorry" are not always easy things to do. Choose a time to gather for prayer. Open with a prayer to the Holy Spirit. Invite family members to ask for, give, and receive forgiveness for the times they may have hurt one another during the week.

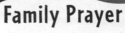

Family Prayer

God of Mercy, thank you for always forgiving us. By the power of the Holy Spirit, help us to change and become more like your Son, Jesus. Make us one in love with you and all the people in our lives. Amen.

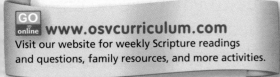

Nos reunimos

Procesión

Avancen lentamente.
Sigan a la persona que lleva la Biblia.

Líder: Oremos.

Hagan juntos la señal de
la cruz.

Escuchamos

Líder: Padre, envía al Espíritu
Santo para que nos abra
los oídos y el corazón,
de manera que podamos
escuchar y vivir tu
Palabra. Te lo pedimos en
el nombre de Jesús.

Todos: Amén.

Líder: Lectura del santo
Evangelio según san
Mateo.

Todos: Gloria a ti, Señor.

Enfoque del rito: Persignarse

Líder: Padre amoroso, queremos
vivir según tu Palabra.
Que tu Palabra esté en
nuestra mente.

Hagan la señal de la cruz sobre
su frente.

4 We Listen

We Gather

Procession

As you sing, walk forward slowly.
Follow the person carrying the Bible.

 Sing together.

Open my ears, Lord.

Help me to hear your voice.

Open my ears, Lord.

Help me to hear.

© 1998, Jesse Manibusan.
Published by OCP Publications

Leader: Let us pray.

Make the Sign of the
Cross together.

We Listen

Leader: Father, send the Holy
Spirit to open our ears
and hearts that we may
hear and live your
word. We ask this in
Jesus' name.

All: Amen.

Leader: A reading from the
holy Gospel according
to Matthew.

All: Glory to you, O Lord.

Ritual Focus: Signing

Leader: Loving Father, we want to
live by your word.

May your word be in
our minds.

Trace the Sign of the Cross on
your forehead.

Líder: Que tu Palabra esté en nuestros labios.

Hagan la señal de la cruz sobre sus labios.

Que tu Palabra esté en nuestro corazón.

Hagan la señal de la cruz sobre su corazón.

Te lo pedimos por Jesucristo, nuestro Señor.

Todos: Amén.

Líder: Lean Mateo 13:1–23.

Palabra del Señor.

Todos: Gloria a ti, Señor Jesús.

Siéntense en silencio.

Evangelicemos

Líder: Padre amoroso, te damos gracias por tu Palabra. Ayúdanos a recordarla y a compartirla. Te lo pedimos por Jesucristo, nuestro Señor.

Todos: Amén.

Leader: May your word be on our lips.

Trace the Sign of the Cross on your lips.

May your word be in our hearts.

Trace the Sign of the Cross on your heart.

We ask this through Jesus Christ our Lord.

All: Amen.

Leader: Read Matthew 13:1–23.

The Gospel of the Lord.

All: Praise to you, Lord Jesus Christ.

Sit silently.

We Go Forth

Leader: Loving God, we thank you for your word. Help us remember and share it. We ask this through Jesus Christ our Lord.

All: Amen.

Sing the opening song together.

65

La Palabra de Dios

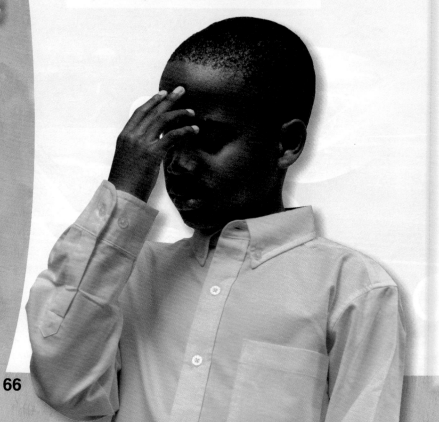

SIGNOS DE FE

La señal de la cruz

En el bautismo, a cada uno de nosotros nos marcaron con la señal de la cruz. La señal de la cruz nos identifica como discípulos de Jesús. Cada vez que hacemos la señal de la cruz, recordamos nuestro bautismo. En el bautismo se nos llama a ser los discípulos que cumplen la Palabra de Dios.

Reflexiona

Persignarse Piensa y escribe acerca de la celebración.

Cuando la Palabra de Dios está en mi mente

_____

_____

Cuando la Palabra de Dios está en mis labios

_____

_____

Cuando la Palabra de Dios está en mi corazón

_____

_____

God's Word

SIGNS OF FAITH

The Sign of the Cross

Each of us is signed with the Sign of the Cross at our Baptism. The Sign of the Cross marks us as followers of Jesus. Every time we sign ourselves with the Sign of the Cross, we remember our Baptism. In Baptism we are called to be disciples who follow God's word.

Reflect

Signing   Think and write about the celebration.

When God's word is in my mind

_____

_____

_____

When God's word is on my lips

_____

_____

_____

When God's word is in my heart

_____

_____

_____

67

La Biblia

Sabemos que la **Biblia** es la Palabra misma de Dios. Otro nombre que se usa para la Biblia es Sagrada Escritura. La palabra *Escrituras* significa "escritos". Dios inspiró a los seres humanos para que escribieran relatos de su amor y amistad. En la misa escuchamos estos relatos y los recordamos. La Buena Nueva de la Biblia es la misma Buena Nueva que enseñó Jesús.

Dios Padre, Hijo y Espíritu Santo están con nosotros cuando oramos para que la Palabra de Dios esté en nuestra mente, en nuestros labios y en nuestro corazón. Eso nos ayuda a escuchar la Buena Nueva y a compartirla con los demás.

SIGNOS DE FE

La Biblia

La Biblia tiene dos partes: el Antiguo Testamento y el Nuevo Testamento. El Antiguo Testamento cuenta relatos de la amistad de Dios con su pueblo antes del nacimiento de Jesús. El Nuevo Testamento cuenta relatos de Jesús y del pueblo en tiempos de la Iglesia primitiva.

The Bible

We know that the **Bible** is God's own word. Another name used for the Bible is Scriptures. The word *Scriptures* means "writings." God inspired humans to write stories of his love and friendship. At Mass we listen to and remember those stories. The good news of the Bible is the same good news that Jesus taught.

God the Father, Son, and Holy Spirit are with us when we pray for God's word to be in our minds, on our lips, and in our hearts. They help us hear the good news and share it with others.

SIGNS OF FAITH

The Bible
The Bible has two parts. The parts of the Bible are the Old Testament and the New Testament. The Old Testament tells stories of the friendship between God and his people before the birth of Jesus. The New Testament tells the stories of Jesus and the people in the early Church.

Escuchar la Palabra de Dios

Enfoque en la fe

¿Por qué escuchamos la Palabra de Dios?

A Jesús le encantaba contar relatos y lo hacía muy bien. Contaba relatos sobre el amor de Dios. A veces, sus relatos enseñaban una lección. Jesús quería que las personas escucharan y comprendieran. Él quería que las personas compartieran la Buena Nueva. Sus relatos están en los evangelios. *Evangelio* quiere decir "Buena Nueva".

Un día, Jesús contó un relato sobre un sembrador. Un sembrador es una persona que pone semillas en la tierra para que crezcan.

Sagrada Escritura

MATEO 13:1–23

El sembrador

El sembrador salió a sembrar. Cuando sembró las semillas, algunas cayeron al borde del camino y se las comieron los pájaros. Algunas cayeron en suelo pedregoso. No había tierra y las semillas no pudieron echar raíces. Salió el sol y las quemó. Algunas semillas cayeron entre espinas. Las espinas ahogaron las semillas y éstas no pudieron crecer. Pero algunas semillas cayeron en tierra buena. Estas semillas crecieron y dieron mucho fruto.

Hear God's Word

Faith Focus

Why do we listen to God's word?

Jesus was a storyteller. He told stories about God's love. Sometimes his stories taught a lesson. Jesus wanted people to listen and to understand. Jesus wanted people to share the good news. His stories are in the Gospels. *Gospel* means "good news."

One day Jesus told a story about a sower. A sower is a person who puts seeds on the ground so they can grow.

MATTHEW 13:1–23

The Sower

A sower went out to sow. As he sowed seed, some fell on the edge of the path and the birds ate them. Some fell on rocky ground. There was no soil there and the seed could not take root. The sun came up and burned it. Some seed fell among thorns. The thorns choked the seed and it could not grow. But some seed fell on good soil. These seeds grew and made much fruit.

Las personas no entendieron el relato. Entonces Jesús lo explicó. Dijo que la semilla del camino es como una persona que escucha la Palabra de Dios, pero no la comprende. La semilla en el suelo pedregoso es como la persona que escucha la Palabra de Dios, pero luego la olvida. La semilla que cae entre las espinas es como la persona que escucha la Palabra de Dios, pero presta atención a otras cosas y no la sigue. La semilla que cae en tierra buena es como la persona que escucha la Palabra de Dios, la comprende y la cumple.

BASADO EN MATEO 13:1–23

❓ **¿Qué lección enseñó Jesús a las personas en este relato?**

❓ **¿Cómo cumples la Palabra de Dios?**

La fe en el hogar

Lean el relato de La Sagrada Escritura con su hijo o hija. Hablen sobre las formas en que escuchan la Palabra de Dios y la cumplen. Compartan uno de sus relatos preferidos de la Sagrada Escritura y hablen acerca de lo que significa para cada uno de ustedes.

Comparte

Haz una representación Con un compañero o compañera, elige a una de las personas a las que Jesús le hablaba en el relato. Monta la escena del relato del Evangelio. Representa tu parte del relato para el resto del grupo.

The people did not understand the story. So Jesus explained it. He said that the seed on the path is like a person who hears God's word but does not understand it. The seed on the rocky ground is like the person who hears God's word but then forgets it. The seed that falls among the thorns is like the person who hears God's word but pays attention to other things and does not follow it. The seed that falls on good soil is like the person who hears God's word, understands it, and follows it.

BASED ON MATTHEW 13:1–23

Faith at Home

Read the scripture story with your child. Talk about ways you listen to God's word and follow it. Share one of your favorite scripture stories, and talk about what it means to each of you.

❷ **What lesson did Jesus teach the people in his story?**

❷ **How do you follow God's word?**

Share

Act it out With a partner, choose one of the people Jesus was talking about in the story. Make up that scene from the Gospel story. Act out your part of the story for the rest of the group.

Liturgia de la Palabra

SIGNOS DE FE

Las lecturas

El lector lee la primera y la segunda lectura de un libro llamado **leccionario**. El leccionario contiene todas las lecturas sacadas de la Biblia para cada domingo. Las lecturas se leen desde un lugar especial llamado **ambón**. El Evangelio se lee del **libro de los evangelios**, que se lleva en procesión durante los ritos iniciales, para mostrar la importancia de los cuatro evangelios.

Enfoque en la fe

¿Qué sucede durante la Liturgia de la Palabra?

La misa tiene dos partes muy importantes. La primera parte es la **Liturgia de la Palabra**. La segunda parte es la **Liturgia eucarística**. En la Liturgia de la Palabra, celebramos la presencia de Jesús en la Palabra. En la Liturgia eucarística, celebramos la presencia de Jesús cuando recibimos la sagrada comunión.

Durante la Liturgia de la Palabra, escuchamos tres lecturas de la Biblia. Entre las dos primeras lecturas, cantamos o rezamos un salmo. El salmo es una respuesta a la Palabra de Dios.

Por lo general, la primera lectura está tomada del Antiguo Testamento. La segunda lectura es de la parte del Nuevo Testamento que cuenta la historia de los primeros discípulos de Jesús. La tercera lectura es el Evangelio. Cuenta la maravillosa Buena Nueva de Jesús. Aclamamos con alegría la lectura del Evangelio. Decimos o cantamos "¡Aleluya!". *Aleluya* significa "Alabamos al Señor".

The Liturgy of the Word

Faith Focus

What happens during the Liturgy of the Word?

The Mass has two very important parts. The first part is the **Liturgy of the Word**. The second part is the **Liturgy of the Eucharist**. In the Liturgy of the Word, we celebrate Jesus' presence in the word. In the Liturgy of the Eucharist, we celebrate Jesus' presence when we receive Holy Communion.

During the Liturgy of the Word, we listen to three readings from the Bible. Between the first two readings, we sing or pray a psalm. The psalm is a response, or answer, to God's word.

The first reading is usually from the Old Testament. The second reading is from the part of the New Testament that tells the story of the early followers of Jesus. The third reading is the Gospel. It tells the wonderful good news of Jesus. We greet the Gospel reading with joy. We say or sing "Alleluia!" *Alleluia* means "Praise the Lord."

Nuestra respuesta

Después de las lecturas, el sacerdote o el diácono hace una homilía. La homilía nos ayuda a comprender y a vivir la Palabra de Dios. Nosotros respondemos a la Palabra de Dios cuando nos ponemos de pie y rezamos el credo. Profesamos con orgullo lo que creemos.

El Festín de la Palabra de Dios hace que queramos compartir algo con los que tienen hambre de la Buena Nueva. Concluimos la Liturgia de la Palabra rezando juntos por las necesidades de la Iglesia y de todas las personas del mundo. Estas oraciones especiales se llaman plegaria universal u oración de los fieles.

❓ **¿Cómo llamamos a la parte de la misa en la que escuchamos la Palabra de Dios?**

La fe en el hogar

Conversen con su hijo o hija sobre cómo escuchar atentamente durante la Liturgia de la Palabra. Animen a su hijo o hija a prestar especial atención a las lecturas de la misa de este domingo. Luego, después de la misa, dediquen algún tiempo a hablar sobre cómo una de las lecturas o la homilía se relaciona con la vida de su familia.

Our Response

After the readings, the priest or deacon gives a homily. The homily helps us understand and follow God's word. The homily helps us understand how to live God's word. We respond to God's word when we stand and pray the Creed. We proudly profess what we believe.

Feasting on God's word makes us want to share with others who are hungry for good news. We close the Liturgy of the Word by praying together for the needs of the Church and all people around the world. These special prayers are called the Prayer of the Faithful, the Universal Prayer, or Bidding Prayers.

❓ **What do we call the part of the Mass when we listen to God's word?**

Comparte la Palabra de Dios

Responde

Haz un dibujo   Muestra cómo compartirás la Palabra de Dios en tu casa o en la escuela.

Bendición final

Reúnanse y empiecen con la señal de la cruz.

Líder: Te alabamos y te damos gracias, Señor, por el regalo de tu Palabra.

Todos: Aleluya.

Líder: Ayúdanos a llevar tu Palabra y a escucharla en todo lo que hacemos. Enséñanos cómo hablarles de tu Buena Nueva a los demás.

Todos: Amén.

Share God's Word

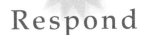

Respond

Draw a picture   Show how you will share God's word at home or at school.

Closing Blessing

Gather and begin with the Sign of the Cross.

Leader: We praise and thank you, Lord, for the gift of your word.

All: Alleluia.

Leader: Help us to go forth and listen for your word in all we do. Show us how to speak your good news to others.

All: Amen.

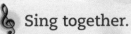 Sing together.

Open my ears, Lord.

Help me to hear your voice.

Open my eyes, Lord.

Help me to see.

La fe en el hogar

Enfoque en la fe

- La Biblia es la Palabra de Dios escrita con palabras humanas.

- Escuchamos la Palabra de Dios durante la Liturgia de la Palabra.

- Cuando escuchamos la Palabra de Dios, queremos compartirla con los demás.

Enfoque del rito

Persignarse La celebración se centró en escuchar la Palabra de Dios. Los niños rezaron haciendo la señal de la cruz en la frente, en los labios y sobre el corazón. Rezaron para que la Palabra de Dios estuviera con ellos. En momentos adecuados durante la semana, recen con su hijo o hija la oración de la señal de la cruz que está en las páginas 62 y 64.

www.osvcurriculum.com
Visite nuestro sitio Web y encontrará lecturas semanales de la Sagrada Escritura y preguntas, recursos para la familia y otras actividades.

Actúa

Compartan juntos Usen diarios y revistas para recortar historias e ilustraciones que muestren que la Palabra de Dios está viva hoy en las personas y en los sucesos. Mencionen a algunas personas que tienen hoy la necesidad de ver viva la Palabra de Dios. Compongan una oración de los fieles en familia y récenla esta semana cuando estén juntos.

Actúen juntos Lean Mateo 13:1–23 y hablen sobre la pregunta "¿Cómo podemos llevar, esta semana, la Palabra de Dios a alguien necesitado?". Busquen en el boletín parroquial los nombres de aquellas personas que les agradaría recibir una tarjeta deseándoles buena salud o una tarjeta de aliento. Pida a los miembros de la familia que incluyan sus propios versos.

Oración en familia

Jesús, bendícenos esta semana cuando escuchemos tu Palabra. Abre nuestros ojos, nuestro corazón y nuestra mente para que podamos ser discípulos más fieles y tener el valor de transmitir tu Palabra a todos los que encontramos en nuestro camino. Amén.

Faith at Home

Faith Focus

- The Bible is God's word written in human words.

- We listen to the word of God during the Liturgy of the Word.

- When we listen to God's word, we want to share it with others.

Ritual Focus

Signing The celebration focused on listening to God's word. The children prayed by signing themselves with the Sign of the Cross on their forehead, lips, and heart. They prayed that God's word would be with them. At appropriate times during the week, pray the signing prayer on pages 32–33 with your child.

GO online www.osvcurriculum.com
Visit our website for weekly Scripture readings and questions, family resources, and more activities.

Act

Share Together Using newspapers and magazines, cut out stories and pictures that show that God's word is alive today in people and events. Name some people who are in need of seeing God's word alive today. Create a family prayer of the faithful, and pray it this week during times you are together.

Do Together Read Matthew 13:1–23, and talk about the question, "How can we bring the word of God to someone in need this week?" Check your parish bulletin for the names of those who might appreciate a get-well card or a card of encouragement. Have family members include their favorite verses.

Family Prayer

Jesus, bless us as we listen for your word this week. Open our eyes, our hearts, and minds that we will become more faithful followers and have the courage to spread your word to all those we meet. Amen.

Nos reunimos

Procesión

Avancen lentamente. Sigan a la persona que lleva la cruz y la Biblia.

Líder: Oremos.

Hagan juntos la señal de la cruz.

Enfoque del rito: Honrar la cruz

Líder: Dios nos da muchos dones. Nos da el sol y la lluvia. Nos da la familia y los amigos. Nos da la vida. El don más importante que Dios nos da es Jesús, su Hijo. Jesús nos muestra cómo vivir. Cuando Jesús murió en la cruz, dio su vida por todas las personas. Pensemos en el don tan maravilloso que nos dio Jesús.

Siéntense en silencio.

Vengan adelante y pongan la mano en la cruz.

We Gather

Procession

As you sing, walk forward slowly. Follow the person carrying the cross and Bible.

 Sing together.

> We praise you, O Lord,
>   for all your works are
>   wonderful.
> We praise you, O Lord,
>   forever is your love.
>
> © 1978 Damean Music

Leader: Let us pray.

Make the Sign of the Cross together.

Ritual Focus: Honoring the Cross

Leader: God gives us many gifts. He gives us sun and rain. He gives us family and friends. He gives us our life. The most important gift God gives us is his Son, Jesus. Jesus shows us how to live. When Jesus died on the cross, he gave his life for all people. Let us think about what a wonderful gift Jesus gave us.

Sit silently.

Come forward, and put your hand on the cross.

83

Escuchamos

Líder: Dios de bondad, abre nuestro corazón para escuchar tu palabra. Te lo pedimos por Jesucristo, nuestro Señor.

Todos: Amén.

Líder: Lectura del santo Evangelio según san Juan.

Todos: Gloria a ti, Señor.

Hagan la señal de la cruz sobre su frente, sus labios y su corazón.

Líder: Lean Juan 13:1–16.

Palabra del Señor.

Todos: Gloria a ti, Señor Jesús.

Siéntense en silencio.

Líder: Señor Dios, envíanos el Espíritu Santo para que nos enseñe a vivir por los demás. Te lo pedimos en el nombre de tu Hijo Jesús.

Todos: Amén.

Líder: Oremos como Jesús nos enseñó:

Recen juntos el padrenuestro.

Ofrezcámonos mutuamente la señal de la paz.

Dense unos a otros la señal de la paz de Cristo.
Digan: "La paz del Señor esté contigo".
Respondan: "Y con tu espíritu".

Evangelicemos

Líder: Dios amoroso, envíanos a compartir nuestra vida con los demás. Te lo pedimos por Jesucristo, nuestro Señor.

Todos: Amén.

We Listen

Leader: Gracious God, open our hearts to hear your word. We ask this through Jesus Christ our Lord.

All: Amen.

Leader: A reading from the holy Gospel according to John.

All: Glory to you, O Lord.

Trace the Sign of the Cross on your forehead, lips, and heart.

Leader: Read John 13:1–16.

The Gospel of the Lord.

All: Praise to you, Lord Jesus Christ.

Sit silently.

Leader: Lord God, send us the Holy Spirit to show us how to live for others. We ask this in the name of Jesus, your Son.

All: Amen.

Leader: Let us pray as Jesus taught us:

Pray the Lord's Prayer together.

Let us offer each other the Sign of Peace.

Offer one another a sign of Christ's peace. Say: "The peace of the Lord be with you always."

Answer: "And with your spirit."

We Go Forth

Leader: Loving God, send us out to share our lives with others. We ask this through Jesus Christ our Lord.

All: Amen.

 Sing the opening song together.

La cruz

La cruz

La cruz nos recuerda que Jesús dio su vida por nosotros. Vemos la cruz en la iglesia, cerca del altar. Algunos domingos se lleva la cruz durante la procesión de entrada. El Viernes Santo honramos la cruz durante un servicio especial. Cuando una cruz tiene la figura de Jesús se le llama crucifijo.

Reflexiona

Honrar la cruz Piensa y escribe acerca de la celebración.

Cuando pienso en todos los dones de Dios

_____

_____

_____

Cuando pongo la mano en la cruz

_____

_____

_____

Cuando pienso en Jesús

_____

_____

_____

The Cross

The Cross

The cross reminds us that Jesus gave his life for us. We see the cross in the church near the altar. Some Sundays the cross is carried in the Entrance Procession. On Good Friday we honor the cross in a special service. When a cross has a figure of Jesus on it, it is called a crucifix.

Reflect

Honoring the Cross   Think and write about the celebration.

When I think about all of God's gifts

_____

_____

_____

When I put my hand on the cross

_____

_____

_____

When I think about Jesus

_____

_____

_____

Sacrificio

La cruz nos recuerda que Jesús murió por nosotros. Murió por nuestros pecados. Dio su vida como sacrificio por todas las personas. *Sacrificarse* significa "entregar algo, por amor, por otra persona". Qué don tan maravilloso nos dio Jesús: su vida.

Nos sacrificamos cuando compartimos con los demás. Nos sacrificamos cuando entregamos algo para ayudar a alguien. Nos sacrificamos por amor.

Cuando la Iglesia se reúne para la misa, recordamos el sacrificio de Jesús en la cruz. La misa es también nuestro sacrificio. En la misa recordamos lo que hemos hecho por Dios y por los demás. Le entregamos a Dios el don de nuestra vida.

SIGNOS DE FE

El altar

El **altar** es la mesa central que está en la parte delantera de la iglesia. Es un signo de la presencia de Jesús entre nosotros. Es también un signo de que la misa es un sacrificio y una comida. Otro nombre para el altar es "la mesa del Señor".

Sacrifice

The cross reminds us that Jesus died for us. He died for our sins. He gave up his life as a sacrifice for all people. To *sacrifice* means to "give up something out of love for someone else." What a wonderful gift Jesus gave us—his life.

We sacrifice when we share with others. When we give up something to help someone, we sacrifice. We sacrifice out of love.

When the Church gathers for Mass, we remember the sacrifice of Jesus on the cross. The Mass is our sacrifice, too. At Mass we remember what we have done for God and others. We give God the gift of our lives.

SIGNS OF FAITH

The Altar

The **altar** is the central table in the front of the church. It is a sign of Jesus' presence with us. It is also a sign that the Mass is a sacrifice and a meal. Another name for the altar is "the Table of the Lord."

Servimos a los demás

Enfoque en la fe

¿Qué nos dice Jesús acerca de servir a los demás?

La noche anterior a su muerte, Jesús estaba cenando con sus amigos. Quería demostrarles cuánto los quería. Quería enseñarles cómo demostrar el amor de Dios a los demás.

Sagrada Escritura

JUAN 13:1–16

El lavatorio de los pies

Jesús estaba en la Última Cena con sus discípulos. Se levantó de la mesa, tomó una toalla y se la ató alrededor de la cintura. Después vertió agua en un recipiente, y empezó a lavar los pies de los discípulos.

Los discípulos estaban muy sorprendidos. ¡Sólo los sirvientes lavaban los pies! Jesús no era un sirviente. Era su Maestro.

We Serve Others

What does Jesus tell us about serving others?

On the night before he died, Jesus was at supper with his friends. He wanted to show his friends how much he loved them. He wanted to teach them how to show God's love to others.

Scripture

JOHN 13:1–16

The Washing of the Feet

Jesus was at the Last Supper with his disciples. He got up from the table. He took a towel and tied it around his waist. Then he poured water into a bowl. He began to wash the feet of the disciples.

The disciples were very surprised. Only servants washed feet! Jesus was not a servant. He was their Teacher.

91

—Nunca me lavarás los pies —dijo Pedro. —Si no me dejas lavarte los pies, no puedes ser mi amigo —respondió Jesús. Entonces Jesús le lavó los pies a todos los discípulos.

—¿Entienden lo que acabo de hacer? —dijo Jesús cuando terminó—. Ustedes me llaman "Maestro" y "Señor". Lo soy. Si yo he lavado sus pies, entonces también ustedes deben lavar los pies de los demás. Lo que hago por ustedes, ustedes deben hacerlo por los demás.

BASADO EN JUAN 13:1–16

❓ **¿Por qué crees que Jesús lavó los pies de sus amigos?**

❓ **¿Qué quiere Jesús que hagas por los demás?**

La fe en el hogar

Lean el relato de la Sagrada Escritura con su hijo o hija. Conversen sobre las respuestas a ambas preguntas. Mencionen las veces que han observado que su hijo o hija entregó algo por amor a los demás. Denle mérito a esas opciones. Mencionen aquellas ocasiones en que un miembro de la familia optó por sacrificarse y servir a los demás.

Comparte

Escribe un relato   En una hoja de papel aparte escribe un relato sobre un niño o una niña de tu edad que se sacrifica por un hermano, una hermana o un amigo.

Peter said to Jesus, "You will never wash my feet." Jesus said, "If you do not let me wash your feet, you cannot be my friend." Then Jesus washed the feet of all the disciples.

When he was finished, Jesus said, "Do you understand what I just did? You call me 'Teacher' and 'Master.' I am. If I have washed your feet, then you should wash one another's feet. What I do for you, you should do for others."

BASED ON JOHN 13:1–16

❓ **Why do you think Jesus washed his friends' feet?**

❓ **What does Jesus want you to do for others?**

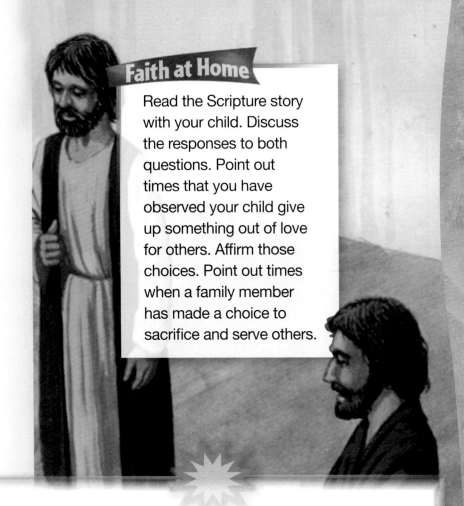

Share

Write a story On a separate sheet of paper, make up a story about a child your age who makes a sacrifice for a brother, a sister, or a friend.

El sacrificio de la misa

SIGNOS DE FE

El pan y el vino

El pan y el vino son los alimentos que las personas comparten en comidas especiales. En la misa usamos un pan que está hecho sin levadura. El vino proviene de las uvas. Por el poder del Espíritu Santo y las palabras y acciones del sacerdote, el pan y el vino se convierten en el Cuerpo y la Sangre de Jesús. Se convierten en nuestro alimento espiritual.

Enfoque en la fe

¿Qué dones llevamos al altar?

Cuando Jesús lavó los pies de los discípulos, nos demostró cómo dar nuestra vida por los demás. Jesús dio su vida por nosotros en la cruz. Nos salvó de nuestros pecados por su vida, muerte y Resurrección.

En la misa, recordamos el sacrificio de Jesús durante la Liturgia eucarística. *Eucaristía* significa "acción de gracias". La Liturgia eucarística es la segunda parte principal de la misa. A través del poder del Espíritu Santo y de las palabras y las acciones del sacerdote, Jesús le ofrece a su Padre el don de sí mismo.

Durante la Liturgia eucarística, damos gracias a Dios Padre por el sacrificio de Jesús en la cruz. Llevamos al altar nuestra vida y nuestros sacrificios.

Los sacrificios que hacemos durante la semana son nuestros dones que entregamos a Dios. Ellos nos preparan para participar en el sacrificio de Jesús.

The Sacrifice of the Mass

Bread and Wine

Bread and wine are foods that people use for special meals. At Mass we use bread that is made without yeast. The wine comes from grapes. By the power of the Holy Spirit and the words and actions of the priest, the bread and wine become the Body and Blood of Jesus. They become our spiritual food.

Faith Focus

What gifts do we bring to the altar?

When Jesus washed the feet of the disciples, he showed us how to give our lives for others. Jesus gave his life for us on the cross. He saved us from our sins by his life, his death, and his Resurrection.

At Mass we remember Jesus' sacrifice during the Liturgy of the Eucharist. *Eucharist* means "thanksgiving." The Liturgy of the Eucharist is the second main part of the Mass. Through the power of the Holy Spirit and the words and actions of the priest, Jesus offers again the gift of himself to his Father.

During the Liturgy of the Eucharist, we thank God the Father for Jesus' sacrifice on the cross. We bring our lives and our sacrifices to the altar.

The sacrifices we make during the week are our gifts to God. They prepare us to join in Jesus' sacrifice.

Preparación de los dones

La Liturgia eucarística empieza con la preparación del altar y de los dones. Miembros de la asamblea llevan el pan y el vino al sacerdote, que los coloca sobre el altar.

También ofrecemos nuestro dinero u otros dones. Esta ofrenda se llama una **colecta**. Estas ofrendas ayudan a la parroquia a llevar a cabo su misión y a ocuparse de los necesitados. Son también una señal de nuestro sacrificio.

El sacerdote prepara el pan y el vino, y da gracias a Dios por su bondad.

Nosotros respondemos: "Bendito seas por siempre, Señor".

Luego el sacerdote reza para que nuestro sacrificio sea aceptado por Dios.

Nosotros respondemos: "El Señor reciba de tus manos este sacrificio, para alabanza y gloria de su nombre, para nuestro bien y el de toda su santa Iglesia".

❓ **¿Qué dones traes a la misa?**

La fe en el hogar

Comenten sobre la respuesta de su hijo o hija a la pregunta. Hablen sobre el propósito de la colecta. Mencionen algunas maneras en que su hijo o hija puede contribuir con su tiempo, sus talentos o dinero para entregarlos como dones a Dios. Usen esta página para repasar las respuestas a la preparación de los dones.

Preparation of the Gifts

The Liturgy of the Eucharist begins with the **Preparation of the Gifts**. Members of the assembly bring the bread and wine to the priest and they are placed on the altar.

We also offer gifts of money or other gifts. This offering is called a **collection**. These offerings help the parish do its work and take care of those in need. They are also a sign of our sacrifice.

The priest prepares the bread and wine and gives God thanks for his goodness.

We answer, "Blessed be God for ever."

Then the priest prays that our sacrifice be acceptable to God.

We answer, "May the Lord accept the sacrifice at your hands for the praise and glory of his name, for our good and the good of all his holy Church."

? What gifts do you bring to Mass?

Faith at Home

Discuss your child's response to the question. Talk about the purpose of the collection. Point out ways your child can contribute his or her time, talent, or money as a gift to God. Use this page to review the responses for the Preparation of the Gifts.

Yo presto mis servicios a los demás

Responde

Colorea la cruz   En los espacios alrededor de la cruz, escribe las maneras en que puedes servir a los demás esta semana. Luego colorea la cruz.

Bendición final

Reúnanse y comiencen con la señal de la cruz.

Líder: Dios, Padre nuestro, te alabamos y te damos gracias por el don de tu Hijo, Jesús.

Todos: Amén.

Líder: Jesús, nuestro Salvador, te alabamos y te damos gracias por entregar tu vida por nosotros.

Todos: Amén.

I Serve Others

Respond

Color the cross In the spaces around the cross, write ways that you will serve others this week. Then color the cross.

Closing Blessing

Gather and begin with the Sign of the Cross.

Leader: God, our Father, we praise and thank you for the gift of your Son, Jesus.

All: Amen.

Leader: Jesus, our Savior, we praise and thank you for giving up your life for us.

All: Amen.

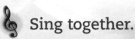 Sing together.

We praise you, O Lord,

for all your works are

wonderful.

We praise you, O Lord,

forever is your love.

© 1978 Damean Music

La fe en el hogar

Enfoque en la fe

- Jesús sacrificó su vida por nosotros al morir en la cruz.

- La misa es un sacrificio.

- En la misa, a través del poder del Espíritu Santo y de las palabras y acciones del sacerdote, Jesús le ofrece a su Padre el don de sí mismo.

Enfoque del rito

Honrar la cruz   La celebración se centró en honrar la cruz. Los niños reverenciaron la cruz. Coloquen una cruz o un crucifijo en un lugar donde la familia se reúne y reza las oraciones de la noche.

Actúa

Compartan juntos   Lean Juan 13:1–16. Hablen sobre lo que quiso decir Jesús con la frase: "Lo que hago por ustedes, ustedes deben hacerlo por los demás". Hagan una lista de las personas que les prestan su servicio a su familia, tales como los trabajadores de los servicios sanitarios, los guardas peatonales, los doctores o los dentistas. Hablen de formas en que su familia puede agradecer a estas personas por compartir sus dones.

Actúen juntos   En familia, mencionen algunos vecinos, miembros de la familia o amigos que tengan necesidad de ayuda o de compañía, por ejemplo, alguien que está enfermo, que vive solo o que necesita alguna tutoría. Hagan una lista de acciones que su familia puede hacer para prestar servicio a estas personas en algún momento durante el mes próximo. Decidan quién hará cada cosa y márquenla en el calendario.

Oración en familia

Dios de bondad, te damos gracias por el don de tenernos los unos a los otros y, especialmente, por el don de Jesús. Ayúdanos a permanecer en tu amor y enséñanos a compartirlo con los demás. Amén.

Faith at Home

Faith Focus

- Jesus sacrificed his life for us when he died on the cross.

- The Mass is a sacrifice.

- At Mass, through the power of the Holy Spirit and the words and actions of the priest, Jesus offers again the gift of himself to his Father.

Ritual Focus

Honoring the Cross The celebration focused on Honoring the Cross. The children reverenced the cross. Place a cross or crucifix in a place where the family gathers and says evening prayers.

Act

Share Together Read John 13:1–16. Talk about what Jesus meant when he said, "What I do for you, you should do for others." Make a list of people who serve your family, such as sanitation workers, street crossing guards, doctors, or dentists. Discuss ways your family can thank these people for sharing their gifts.

Do Together As a family, name some neighbors, family members, or friends who are in need of help or companionship, such as someone who is sick, lives alone, or needs to be tutored. Make a list of actions your family can take to serve these people sometime in the next month. Decide who will do what, and then mark it on the calendar.

Family Prayer

Gracious God, thank you for the gift of each other and especially for the gift of Jesus. Help us remain in your love and teach us to share it with others. Amen.

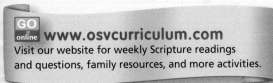
GO online www.osvcurriculum.com
Visit our website for weekly Scripture readings and questions, family resources, and more activities.

Nos reunimos

Procesión

Avancen lentamente. Sigan a la persona que lleva la Biblia.

Líder: Oremos.

Hagan juntos la señal de la cruz.

Escuchamos

Líder: Padre amoroso, venimos ante ti para recordar a tu Hijo Jesús y darte gracias por Él. Abre nuestro corazón al Espíritu Santo para que comprendamos tu palabra. Te lo pedimos por Jesucristo, nuestro Señor.

Todos: Amén.

Líder: Lectura del santo Evangelio según san Lucas.

Todos: Gloria a ti, Señor.

Hagan la señal de la cruz sobre su frente, sus labios y su corazón.

Líder: Lean Lucas 22:14–20.

Palabra del Señor.

Todos: Gloria a ti, Señor Jesús.

Siéntense en silencio.

6 We Remember and Give Thanks

We Gather

Procession

As you sing, walk forward slowly. Follow the person carrying the Bible.

 Sing together.

Te alabaré, Señor; tú me has librado.

I will praise you Lord; you have rescued me.

Tony Alonso © 2003 GIA Pub, Inc.

Leader: Let us pray.

Make the Sign of the Cross together.

We Listen

Leader: Loving Father, we come before you to remember and give thanks for your Son, Jesus. Open our hearts to the Holy Spirit to understand your word. We ask this through Jesus Christ our Lord.

All: Amen.

Leader: A reading from the holy Gospel according to Luke.

All: Glory to you, O Lord.

Trace the Sign of the Cross on your forehead, lips, and heart.

Leader: Read Luke 22:14–20.

The Gospel of the Lord.

All: Praise to you, Lord Jesus Christ.

Sit silently.

Enfoque del rito: Aclamación conmemorativa

Líder: Cada vez que nos reunimos en la eucaristía, sabemos que Jesús está otra vez con nosotros. Estamos felices. Damos gracias a Dios Padre y lo alabamos por el misterio de la presencia de Jesús. Oramos.

Arrodíllense.

Éste es el sacramento de nuestra fe:

Todos: Anunciamos tu muerte.

Proclamamos tu Resurrección.

Ven, Señor Jesús.

Pónganse de pie.

Líder: Oremos como Jesús nos enseñó:

Recen juntos el padrenuestro.

Líder: Ofrezcámonos mutuamente la señal de la paz.

Dense unos a otros la señal de la paz de Cristo.

Digan: "La paz del Señor esté contigo".

Respondan: "Y con tu espíritu".

Evangelicemos

Líder: Padre amado, envíanos a llevar la presencia de Jesús a los demás. Ayúdanos a recordar a Jesús siempre entre nosotros. Te lo pedimos por Jesucristo, nuestro Señor.

Todos: Amén.

Ritual Focus: Mystery of Faith

Leader: Every time we gather together at the Eucharist, we know Jesus comes again to be with us. We are happy. We give God the Father thanks and praise for the mystery of Jesus' presence. We pray.

Kneel.

The mystery of faith:

All: We proclaim your Death, O Lord, and profess your Resurrection until you come again.

Stand.

Leader: Let us pray as Jesus taught us:

Pray the Lord's Prayer together.

Leader: Let us offer each other the Sign of Peace.

Offer one another a sign of Christ's peace.
Say: "The peace of the Lord be with you always."

Answer: "And with your spirit."

We Go Forth

Leader: Loving Father, send us forth to bring Jesus' presence to one another. Help us to remember him. We ask this through Jesus Christ our Lord.

All: Amen.

 Sing the opening song together.

Recordamos

SIGNOS DE FE

Arrodillarse

Nos arrodillamos como señal de que somos hijos e hijas de Dios. Cuando nos arrodillamos, demostramos que dependemos de Dios. Arrodillarse es una de las muchas formas en que usamos nuestro cuerpo para orar. A veces nos arrodillamos cuando queremos pedirle algo a Dios. Otras veces nos arrodillamos cuando buscamos el perdón de Dios. En la misa, nos arrodillamos después del Santo, Santo, Santo hasta el gran amén. También nos arrodillamos durante el Cordero de Dios, antes de la sagrada comunión.

Reflexiona

Aclamación conmemorativa   Piensa y escribe acerca de la celebración.

Cuando escuché el relato de la Última Cena

_____

_____

_____

Cuando me arrodillé

_____

_____

_____

Cuando recé "Anunciamos tu muerte. Proclamamos tu Resurrección. Ven, Señor Jesús."

_____

_____

We Remember

Kneeling

We kneel as a sign that we are God's children. When we kneel, we show we depend on God. Kneeling is one of the many ways we use our bodies to pray. Sometimes we kneel when we want to ask God for something. Other times we kneel when we seek God's forgiveness. At Mass we kneel after the Holy, Holy, Holy through the Great Amen. We also kneel during the *Agnus Dei* (Lamb of God) before Holy Communion.

Reflect

Mystery of Faith   Think and write about the celebration.

When I heard the story of the Last Supper

_____

_____

_____

When I knelt down

_____

_____

_____

When I prayed "We proclaim your Death, O Lord, and profess your Resurrection until you come again."

_____

_____

La plegaria eucarística

La plegaria eucarística es la gran oración de la Iglesia de alabanza y de acción de gracias a Dios. El sacerdote empieza esta oración con el prefacio. Al final del prefacio todos cantamos de pie: "Santo, Santo, Santo". Luego nos arrodillamos mientras continúa la plegaria.

El sacerdote reza al Espíritu Santo para que santifique nuestros dones, para que se conviertan en el Cuerpo y la Sangre de Jesús. Entonces narra el relato de la Última Cena, pues queremos recordar lo que Jesús hizo por nosotros.

Proclamamos el **misterio** de nuestra fe. Un misterio de fe es algo que creemos, pero que no comprendemos. Sabemos que Jesús está con nosotros ahora. Sabemos que todas las personas que aman a Dios vivirán con Él en el cielo cuando mueran. Creemos porque Jesús nos lo prometió. Por eso decimos "Gracias".

SIGNOS DE FE

El sacerdote

En la plegaria eucarística, unimos nuestra voz a la de todos los católicos del mundo. Jesús actúa a través del ministerio del sacerdote. Sólo un **sacerdote** ordenado puede presidir la celebración de la eucaristía. Esto es lo más importante que hace un sacerdote. El sacerdote también hace muchas otras cosas. Enseña, predica, cuida a los enfermos y dirige la parroquia.

CELEBREMOS Celebrate

The Eucharistic Prayer

The Eucharistic Prayer is the Church's great prayer of praise and thanksgiving to God. The priest begins this prayer. Together we pray, "Holy, Holy, Holy." Then we kneel as the prayer continues.

The priest prays to the Holy Spirit to make our gifts holy so they become the Body and Blood of Jesus. He retells the story of the Last Supper. We want to remember what Jesus did for us.

We proclaim the mystery of faith. A **mystery** of faith is something we believe but we do not understand. We know that Jesus is with us now. We know that all people who love God will live with him in Heaven when they die. We believe because Jesus promised us. We want to say, "Thank you."

SIGNS OF FAITH

The Priest

In the Eucharistic Prayer, we join our voices with all Catholics around the world. Jesus acts through the ministry of the priest. Only an ordained **priest** can lead the celebration of the Eucharist. This is the most important thing a priest does. Priests do many other things, too. They teach, preach, take care of the sick, and lead the parish.

Jesús da gracias

Enfoque en la fe

¿Qué les dice Jesús a sus amigos?

Hace mucho tiempo, Dios guió a los miembros del pueblo de Israel en su salida de Egipto, donde habían sido esclavos. Salvó a las personas y las liberó. Todos los años, durante la comida de la Pascua judía, el pueblo judío recuerda y da gracias por el amor salvador de Dios. El pueblo judío recuerda las promesas de Dios.

Sagrada Escritura

MATEO 26:26–28 Y LUCAS 22:14–20

La Última Cena

La noche anterior a su muerte, Jesús compartió una comida especial con sus Apóstoles. Se reunieron para celebrar la Pascua judía, una fiesta de agradecimiento muy importante para el pueblo judío.

A esta comida la llamamos la Última Cena. Durante la comida, Jesús le dijo a sus discípulos cómo recordar el misterio de nuestra fe.

Al comenzar, Jesús le dijo a sus discípulos que Él había deseado mucho celebrar esta comida de la Pascua judía con ellos. Sabía que pronto iba a sufrir.

Jesus Gives Thanks

What does Jesus tell his friends?

Long ago, God led the people of Israel out of the land of Egypt where they had been slaves. He saved the people and set them free. Every year at the Passover meal, Jewish people remember and give thanks for God's saving love. They remember God's promises.

Scripture

MATTHEW 26:26–28 AND LUKE 22:14–20

The Last Supper

On the night before he died, Jesus shared a special meal with his Apostles. They gathered to celebrate the Passover, a great Jewish holiday of thanksgiving.

We call this meal the Last Supper. During the meal, Jesus told his followers how to remember the mystery of our faith.

When it was time to begin, Jesus told his disciples that he had looked forward to eating the Passover meal with them. He knew he would soon suffer.

111

Entonces Jesús usó el pan y el vino de la Pascua judía de una manera nueva. Mientras estaban comiendo, Jesús tomó el pan, lo bendijo y lo partió. Entonces le dio el pan a los Apóstoles y dijo: "Tomen y coman; éste es mi cuerpo".

Entonces Jesús tomó una copa de vino. Otra vez dio gracias a Dios, su Padre. Dio la copa a sus discípulos y dijo: "Beban de ella. Ésta es mi sangre, que será derramada para el perdón de los pecados. Hagan esto en memoria mía".

BASADO EN MATEO 26:26–28 Y LUCAS 22:14–20

❓ ¿Qué recordaron Jesús y sus discípulos en la Pascua judía?

❓ ¿Cómo recuerdas a Jesús?

La fe en el hogar

Lean el relato de la Sagrada Escritura con su hijo o hija. Conversen sobre las respuestas de su hijo o hija a las preguntas. Hablen sobre las maneras en que su familia recuerda sucesos importantes, como días festivos patrióticos, cumpleaños y aniversarios.

Comparte

Escribe el mensaje Observa los dos últimos párrafos del relato. Completa los espacios correspondientes con las letras que faltan para leer el mensaje de Jesús.

É _ _ _ _   _ _   m _   c _ _ _ p _.

É _ _ _ _   _ _   m _   s _ _ g _ _.

Recu_ _ r _ _ _ _ _ _.

Jesus then used the bread and wine of the Passover in a new way. While they were eating, Jesus took bread. He said the blessing. He broke the bread. Then he gave the bread to the Apostles. He said, "Take and eat; this is my body."

Then Jesus took a cup of wine. Again he thanked God, his Father. He gave the cup to his disciples and said, "Drink from it. This is my blood, which will be shed for the forgiveness of sins. Do this in memory of me."

BASED ON MATTHEW 26:26–28 AND LUKE 22:14–20

❓ **What did Jesus and his disciples remember at the Passover?**

❓ **How do you remember Jesus?**

Faith at Home

Read the Scripture story with your child. Discuss your child's responses to the questions. Talk about ways your family remembers important events, such as patriotic holidays, birthdays, and anniversaries.

Share

Write the message Look at the last paragraph in the story. In the space below, fill in the missing letters to spell Jesus' message.

Th__ __ __ __ m__ B__d__.

Th__ __ __ __ m__ Bl__ __d.

Reme__b__ __ __ __.

113

Recordamos y damos gracias

SIGNOS DE FE

Santísimo Sacramento

El pan y el vino consagrados son el Cuerpo y la Sangre de Jesús. Se les da el nombre de Santísimo Sacramento. Después de la misa, las hostias que quedan se colocan en un lugar especial llamado **tabernáculo**. Por lo general, el tabernáculo se encuentra en una capilla o en otro lugar especial dentro de la iglesia. Allí guardamos el Santísimo Sacramento para que se pueda llevar a los miembros de la parroquia que están enfermos y que no pueden estar presentes en la misa. También podemos permanecer un rato ante el tabernáculo, rezándole a Jesús, que está en el Santísimo Sacramento.

Enfoque en la fe

¿Qué recordamos y damos gracia durante la plegaria eucarística?

En la Última Cena, Jesús y los discípulos recordaron el relato de la Pascua judía. Dijeron plegarias especiales de agradecimiento. A la eucaristía la llamamos "La Cena del Señor".

Durante la plegaria eucarística, el sacerdote une todas nuestras oraciones en una. Ora en nuestro nombre y en el de la Iglesia. Nosotros también participamos de la oración. Durante la oración, recordamos todas las formas en que Dios nos ha salvado. Nos ofrecemos a Dios con Jesús. Participamos de la muerte y la Resurrección de Jesús a través del poder del Espíritu Santo. Recordamos y decimos "Gracias".

El sacerdote le pide a Dios que acepte nuestro sacrificio. Oramos para que Dios nos haga santos, como los que están en el cielo con Él. Rezamos los unos por los otros. Ofrecemos la misa a las personas que han muerto.

We Remember and Give Thanks

Blessed Sacrament

The consecrated Bread and Wine are the Body and Blood of Jesus. They are called the Blessed Sacrament. After Mass the remaining Hosts are placed in a special place called a **tabernacle**. The tabernacle is usually in a chapel or some other special place in the church. We keep the Blessed Sacrament there so it can be brought to parish members who are ill and cannot be present. We can also spend time before the tabernacle praying to Jesus in the Blessed Sacrament.

Faith Focus

What do we remember and give thanks for during the Eucharistic Prayer?

At the Last Supper, Jesus and the disciples remembered the Passover story. They said special prayers of thanks. We call the Eucharist "The Lord's Supper."

During the Eucharistic Prayer, the priest joins all of our prayers into one. He prays in our name and the name of the Church. We take part in the prayer, too. During the prayer, we remember all the ways that God has saved us. We offer ourselves to God with Jesus. We share in Jesus' dying and rising through the power of the Holy Spirit. We remember and we say, "Thank you."

The priest asks God to accept our sacrifice. We pray that God will make us holy, like the saints who are in heaven with him. We pray for one another. We offer the Mass for the people who have died.

Consagración

Una parte importante de la plegaria eucarística es la **consagración**. El sacerdote dice las palabras que Jesús dijo en la Última Cena. Por el poder del Espíritu Santo y las palabras y acciones del sacerdote, los dones del pan y del vino se convierten en el Cuerpo y la Sangre de Cristo.

Después de la consagración, recordamos que Jesús dio su vida por nosotros. El sacerdote dice o canta: "Éste es el sacramento de nuestra fe". Contestamos con una respuesta especial. Esta respuesta es la aclamación conmemorativa.

El gran amén

Al final de la plegaria eucarística, el sacerdote dice la oración que empieza así:

"Por Cristo, con Él y en Él".

Respondemos: "Amén".

Esta respuesta es el gran amén. Decimos "sí" a las promesas de Dios. Lo alabamos por sus dones y su obra salvadora.

❓ **¿En qué se parece la eucaristía a la Última Cena?**

La fe en el hogar

Repasen la respuesta de su hijo o hija a la pregunta. Repasen el significado de la palabra *amén*. Revisen con su hijo o hija la plegaria eucarística que está en estas páginas. Familiaricen a su hijo o hija con las respuestas a la oración.

Consecration

An important part of the Eucharistic Prayer is the **consecration**. The priest says the words Jesus did at the Last Supper. Through the power of the Holy Spirit and the words and actions of the priest, the gifts of bread and wine become the Body and Blood of Christ.

After the consecration we remember that Jesus gave his life for us. The priest says or sings the words: "The mystery of faith." We answer with a special response. This response is called the **Mystery of Faith**.

The Great Amen

At the end of the Eucharistic Prayer, the priest prays the prayer that begins,

"Through him, and with him, and in him."

We answer, "Amen."

This response is the Great Amen. We say "yes" to God's promises. We praise him for his gifts and saving actions.

❓ **How is the Eucharist like the Last Supper?**

Di "Sí"

Responde

Haz un vitral   En el siguiente dibujo colorea de amarillo los espacios con una "a" y de rojo los espacios con una "b". Elige otro color para completar las zonas marcadas con una "c" y así terminar el vitral. Luego describe alguna manera en que puedes decir "sí" a Jesús esta semana.

Bendición final

Reúnanse y empiecen con la señal de la cruz.

Líder: Dios, Padre nuestro, recordamos todos tus buenos dones y te damos gracias.

Todos: Amén.

Líder: Jesús, nuestro Salvador, recordamos tu muerte y Resurrección y te damos gracias.

Todos: Amén.

Líder: Espíritu Santo, recordamos tu presencia entre nosotros y te damos gracias.

Todos: Amén.

Say "Yes"

Respond

Make a stained glass window   In the picture below, color the spaces with an "a" yellow. Color the spaces with a "b" red. Choose another color to fill in the areas marked with "c" to complete the stained-glass window. Then write one way you can say "yes" to Jesus this week.

Closing Blessing

Gather and begin with the Sign of the Cross.

Leader: God, our Father, we remember and give thanks for all your good gifts.

All: Amen.

Leader: Jesus, our Savior, we remember and give thanks for your death and Resurrection.

All: Amen.

Leader: Holy Spirit, we remember and give thanks that you are with us.

All: Amen.

Sing together.

I will praise you Lord; you have rescued me.

I will praise you Lord; you have rescued me.

I Will Praise You, Lord, Tony Alonso © GIA Publications

119

La fe en el hogar

Enfoque en la fe

- La plegaria eucarística es una oración de acción de gracias, de recordatorio y de consagración.

- Por el poder del Espíritu Santo y las palabras y acciones del sacerdote, el pan y el vino se convierten en el Cuerpo y la Sangre de Jesús.

- En el gran amén, la asamblea dice "sí" a todas las obras salvadoras y las promesas de Dios.

Enfoque del rito

Aclamación conmemorativa

La celebración se centró en la aclamación conmemorativa. Los niños rezaron la aclamación. Durante esta semana, usen la oración en el segmento de Oración en familia como plegaria para antes o después de las comidas.

www.osvcurriculum.com
Visite nuestro sitio Web y encontrará lecturas semanales de la Sagrada Escritura y preguntas, recursos para la familia y otras actividades.

Actúa

Compartan juntos   Hablen sobre las formas en que su familia recuerda a las personas que se mudaron o que murieron. Para comenzar usen fotos, ilustraciones o alguna historia familiar. Hagan una lista de los ejemplos que comparten los miembros de la familia. Usen la lista para hablar sobre las formas en que su familia puede recordar a Jesús durante esta semana.

Actúen juntos   Planeen un momento para visitar el Santísimo Sacramento con su hijo o hija. La iglesia parroquial puede tener una capilla para el Santísimo Sacramento separada de la nave principal de la iglesia. Vayan al lugar donde se encuentra el tabernáculo. Pasen un momento en silencio conversando con Jesús, que está en el Santísimo Sacramento.

Oración en familia

Dios de infinita generosidad, te damos gracias por todos los dones que nos das: por el don de la creación, de la familia y de los amigos y especialmente por el don de tu Hijo Jesús. Ayúdanos a recordar siempre que estás con nosotros. Amén.

Faith at Home

Faith Focus

- The Eucharistic Prayer is a prayer of thanksgiving, remembering, and consecration.

- Through the power of the Holy Spirit and the words and actions of the priest, the bread and wine become the Body and Blood of Jesus.

- At the Great Amen, the assembly says "yes" to all of God's saving actions and promises.

Ritual Focus

Mystery of Faith   The celebration focused on the Mystery of Faith. The children prayed the Mystery of Faith. During the week, use the Family Prayer as a prayer before or after meals.

GO online **www.osvcurriculum.com**
Visit our website for weekly Scripture readings and questions, family resources, and more activities.

Act

Share Together   Talk about ways your family remembers people who have moved away or died. Use examples of pictures or stories to get the sharing started. Make a list of the examples that family members share. Use the list to talk about ways your family can remember Jesus during the week.

Do Together   Plan a time to make a visit to the Blessed Sacrament with your child. Your parish church may have a Blessed Sacrament chapel set apart from the body of the church. Go near the place where the tabernacle is located. Spend some quiet time in conversation with Jesus in the Blessed Sacrament.

Family Prayer

Giving God, we give you thanks for all the gifts you give us: for the gifts of creation, for family and friends, and especially for the gift of your Son, Jesus. Help us to always remember that you are here with us. Amen.

Capítulo 7

Compartimos una comida

Nos reunimos

Procesión

Avancen lentamente. Sigan a la persona que lleva la Biblia. Reúnanse alrededor de la mesa.

Líder: Oremos.

Hagan juntos la señal de la cruz.

Escuchamos

Líder: Dios, Padre nuestro, tú nos provees de todo lo que necesitamos. Fortalécenos para que llevemos vida a los demás. Te lo pedimos por Jesucristo, nuestro Señor.

Todos: Amén.

Líder: Lectura del santo Evangelio según san Juan.

Todos: Gloria a ti, Señor.

Hagan la señal de la cruz sobre su frente, sus labios y su corazón.

Líder: Lean Juan 6:30–58.

Palabra del Señor.

Todos: Gloria a ti, Señor Jesús.

Siéntense en silencio.

122

We Share a Meal

We Gather

Procession

As you sing, walk forward slowly. Follow the person carrying the Bible. Gather around the table.

 Sing together.

We come to the Table of the Lord

As one body formed in your love.

We come to the Table of the Lord

As one body formed in your love.

© 2004 John Burland

Leader: Let us pray.

Make the Sign of the Cross together.

We Listen

Leader: God, our Father, you provide us with everything we need. Strengthen us to bring life to others. We ask this through Jesus Christ our Lord.

All: Amen.

Leader: A reading from the holy Gospel according to John.

All: Glory to you, O Lord.

Trace the Sign of the Cross on your forehead, lips, and heart.

Leader: Read John 6:30–58.

The Gospel of the Lord.

All: Praise to you, Lord Jesus Christ.

Sit silently.

Enfoque del rito: Compartir una comida

Siéntense alrededor de la mesa.

Líder: Bendito seas tú, Padre todopoderoso,

que nos das el pan nuestro de cada día.

Bendito sea tu único Hijo,

que permanentemente nos alimenta con la palabra de vida.

Bendito sea el Espíritu Santo,

que nos reúne en esta mesa de amor.

Bendito sea Dios por los siglos de los siglos.

Todos: Amén.

BENDICIONAL, 1069

Compartan el alimento que hay en la mesa.

Líder: Te damos gracias por todos tus dones, Dios todopoderoso, que vives y reinas por los siglos de los siglos.

Todos: Amén.

BENDICIONAL, 1070

Evangelicemos

Líder: Dios amado, te damos gracias por el alimento, la familia, los amigos y el don de tu Hijo Jesús. Ayúdanos a compartir los dones de la vida con los demás. Te lo pedimos en el nombre de tu Hijo Jesús.

Todos: Amén.

Ritual Focus: Sharing a Meal

Be seated around the table.

Leader: Blessed are you, almighty
Father,

who gives us our daily bread.

Blessed is your only begotten
Son,

who continually feeds us
with the word of life.

Blessed is the Holy Spirit,

who brings us together at
this table of love.

Blessed be God now and
for ever.

All: Amen.

BOOK OF BLESSINGS, 1069

Share the food at the table.

Leader: We give you thanks for all
your gifts, almighty God,
living and reigning now and
for ever.

All: Amen.

BOOK OF BLESSINGS, 1070

We Go Forth

Leader: Loving God, we thank you for
food, for families, for friends, and
for the gift of your Son, Jesus.
Help us to share the gifts of life
with others. We ask this in the
name of your Son, Jesus.

All: Amen.

 Sing the opening song together.

125

Comidas especiales

SIGNOS DE FE

La señal de la paz

Durante la misa, y antes de la sagrada comunión, nos ofrecemos la **señal de la paz** unos a otros. La señal de la paz es una oración de acción. Les damos la mano a las personas que están a nuestro alrededor y les deseamos la paz de Dios. Ofrecer a los demás la señal de la paz es un signo de que estamos unidos en la mesa del Señor.

Reflexiona

Compartir una comida   Piensa y escribe acerca de la celebración.

Me gusta compartir comidas con los demás porque

_____

_____

_____

Cuando como buenos alimentos

_____

_____

El pan me recuerda

_____

_____

Special Meals

Sign of Peace

During Mass we offer one another the **Sign of Peace** before Holy Communion. The Sign of Peace is an action prayer. We reach out our hand to people around us. We wish them God's peace. Giving the Sign of Peace to others is a sign that we are united to one another at the Table of the Lord.

Reflect

Sharing a meal   Think and write about the celebration.

I like sharing meals with others because

_____

_____

_____

When I eat good food

_____

_____

_____

Bread reminds me of

_____

_____

_____

La eucaristía como una comida

Cuando compartimos una comida nos acercamos más a las personas. Una comida especial, que a veces llamamos banquete o festín, es una ocasión para celebrar, compartir historias, cantar y comer alimentos especiales. Cuando la familia y los amigos se reúnen en las comidas especiales, crece el amor entre ellos.

La comida especial de la Iglesia es la eucaristía. El Espíritu Santo nos reúne con nuestra familia parroquial y con los católicos de todo el mundo. Nos reunimos para celebrar el amor de Dios por nosotros en la eucaristía.

En la sagrada comunión compartimos también el Cuerpo y la Sangre de Jesús. Jesús está verdaderamente presente en el pan y el vino consagrados.

Jesús es el Pan de Vida. En la comida de la eucaristía participamos en la vida del Cristo resucitado.

SIGNOS DE FE

La patena, el copón y el cáliz
El alimento para nuestra comida eucarística se coloca en una vajilla especial. La **patena** es para las hostias. A veces se puede usar un **copón** también. El vino se vierte en un **cáliz**.

The Eucharist as a Meal

Sharing a meal brings people closer together. A special meal, sometimes called a banquet or feast, is a time to celebrate. It is a time to share stories, sing songs, and eat special food. When families and friends gather for special meals, they grow in love.

The Eucharist is the Church's special meal. The Holy Spirit gathers us with our parish family and with Catholics all over the world. We gather at the Eucharist to celebrate God's love for us. We also share Jesus' own Body and Blood in Holy Communion. Jesus is truly present in both the consecrated Bread and the Wine.

Jesus is the Bread of Life. In the meal of the Eucharist, we share in the life of the Risen Christ.

SIGNS OF FAITH

Paten, Ciborium, and Chalice
The food for our Eucharistic meal is placed on special dishes. The **paten** holds the hosts. Sometimes a **ciborium** may be used as well. The wine is poured into a **chalice**.

Compartimos el Pan de Vida

Enfoque en la fe

¿Qué nos dice Jesús acerca de sí mismo?

Jesús compartía muchas comidas con la gente. Una vez estaba hablando ante una gran multitud a la hora de la cena. Vio que la gente tenía hambre y alimentó a todos con sólo cinco panes y unos cuantos pescados. ¡La gente quedó sorprendida!

Sagrada Escritura

JUAN 6:30–58

Yo soy el Pan de Vida

Cuando la gente vio que Jesús había alimentado a tantas personas con tan poca comida, quisieron que realizara más milagros. —Tú eres como Moisés —le dijeron—. Cuando el pueblo de Israel tenía hambre en el desierto, Moisés le dio maná, el pan del cielo. Pero Jesús les recordó que había sido Dios Padre, no Moisés, quien había alimentado al pueblo. Luego les enseñó una lección muy importante sobre él.

—Mi Padre me envió para que les trajera la vida eterna. Yo soy el Pan de Vida. El que viene a mí nunca tendrá hambre, y el que cree en mí nunca tendrá sed.

We Share the Bread of Life

What does Jesus tell us about himself?

Jesus shared many meals with people. One time, Jesus was talking to a large crowd at dinnertime. He saw that people were hungry, and he fed them with only five loaves of bread and a few fish. The people were amazed!

Scripture

JOHN 6:30–58

I Am the Bread of Life

When the people saw Jesus feed so many with so little food, they wanted him to perform more miracles. "You are like Moses," they said. "When the people of Israel were hungry in the desert, Moses gave them manna, bread from Heaven." But Jesus reminded them that it was God the Father, not Moses, who gave food to the people. Then he taught the people a very important lesson about himself.

"My Father sent me to bring you life that lasts forever. I myself am the Bread of Life; whoever comes to me will never be hungry. No one who believes in me will ever be thirsty."

131

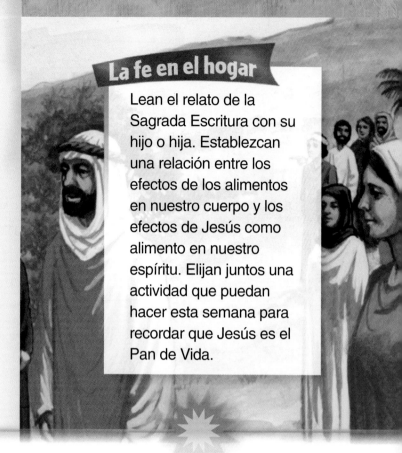

—Yo soy el pan que ha bajado del cielo —continuó Jesús—. Los que comieron el maná en el desierto finalmente murieron, como mueren todos los seres humanos. Pero si ustedes comen mi carne y beben mi sangre, yo siempre estaré con ustedes. Y ustedes vivirán con Dios para siempre.

—¿De qué está hablando? —preguntaron algunos. —El que tenga parte en mi vida vivirá para siempre —les contestó Jesús—. Así como el Padre me envió y yo tengo vida por Él, así también vivirá quien coma el Pan de Vida.

BASADO EN JUAN 6:30–58

❓ ¿Qué piensas que quiere decir Jesús cuando dice que Él es el Pan de Vida?

❓ ¿Cómo puedes participar en la vida de Jesús?

La fe en el hogar

Lean el relato de la Sagrada Escritura con su hijo o hija. Establezcan una relación entre los efectos de los alimentos en nuestro cuerpo y los efectos de Jesús como alimento en nuestro espíritu. Elijan juntos una actividad que puedan hacer esta semana para recordar que Jesús es el Pan de Vida.

Comparte

Haz un dibujo Dibuja una de las maneras en que Jesús te da lo que necesitas para vivir.

Jesus continued, "I am the Bread from Heaven. The people who ate manna in the desert eventually died, as all humans die. But if you share my own flesh and blood, I will always be with you. You will live forever with God."

"What is he talking about?" some people asked. Jesus answered them, "Whoever shares in my life will live forever. Just as the Father sent me and I have life because of him, so too will the one who eats the Bread of Life have life."

BASED ON JOHN 6:30–58

Faith at Home

Read the Scripture story with your child. Make connections between the effects of food for our physical bodies and Jesus as the food for our spirit. Together, decide on one activity you can do this week to remember that Jesus is the Bread of Life.

❓ **What do you think Jesus means when he says he is the Bread of Life?**

❓ **How can you share in Jesus' life?**

Share

Draw a picture Draw one way Jesus gives you what you need to live.

El rito de la comunión

SIGNOS DE FE

Cordero de Dios

El **Cordero de Dios** es un título dado a Jesús. Nos recuerda que Jesús dio su vida por nuestros pecados. Cuando rezamos o cantamos esta oración antes de la sagrada comunión, recordamos que, a través de la muerte y la Resurrección de Jesús, se perdonan nuestros pecados y tenemos paz.

Enfoque en la fe

¿Qué sucede durante el rito de la comunión?

En la sagrada comunión recibimos a Jesús, el Pan de Vida. ¿Qué significa esto?

- Nos unimos a Jesús.

- Nuestra amistad con Jesús se fortalece.

- Dios perdona nuestros pecados leves si nos arrepentimos y nos da fuerzas para evitar los pecados graves.

- Nos unimos a toda la Iglesia, el Cuerpo de Cristo.

- Participamos en la promesa de Dios de que viviremos en el cielo con Jesús, María y todos los santos.

Nos preparamos para recibir la sagrada comunión. Juntos nos ponemos de pie y rezamos la oración del padrenuestro. Recordamos que somos una sola familia con Dios. Como signo de unidad, nos ofrecemos unos a otros la señal de la paz.

The Communion Rite

Agnus Dei (Lamb of God)

Agnus Dei **(Lamb of God)** is a title for Jesus. This title reminds us that Jesus gave up his life for our sins. When we pray or sing this prayer before Holy Communion, we remember that through Jesus' death and Resurrection our sins are forgiven and we have peace.

Faith Focus

What happens during the Communion Rite?

We receive Jesus, the Bread of Life, in Holy Communion. What does this mean?

- We are united to Jesus.

- Our friendship with Jesus grows stronger.

- God forgives our less serious sins if we are sorry and gives us strength to avoid serious sin.

- We are united with the whole Church, the Body of Christ.

- We share in God's promise that we will live in Heaven with Jesus, Mary, and all the saints.

We prepare ourselves to receive Holy Communion. Together we stand and pray the Lord's Prayer. We remember we are one family with God. As a sign of unity, we share the Sign of Peace with each other.

La sagrada comunión

Durante la sagrada comunión, el sacerdote nos invita a la mesa. Nos recuerda el sacrificio de Jesús y su presencia en la eucaristía. Levanta la hostia grande y dice: "Éste es el Cordero de Dios, que quita el pecado del mundo. Dichosos los invitados a la cena del Señor". Avanzamos en procesión. A veces cantamos.

Cuando es nuestro turno de recibir a Jesús, ponemos una mano sobre la otra con las palmas hacia arriba. El sacerdote, el diácono o el ministro extraordinario de la sagrada comunión dice: "El Cuerpo de Cristo". Nosotros respondemos: "Amén".

Con frecuencia, también podemos beber del cáliz. Después de consumir la hostia, nos dirigimos al diácono o al ministro extraordinario de la sagrada comunión, que nos ofrece el cáliz y dice: "La Sangre de Cristo". Respondemos: "Amén". Regresamos a nuestro lugar y oramos o cantamos una oración de acción de gracias.

Debemos recibir la sagrada comunión siempre que participamos de la misa o por lo menos una vez al año.

❓ **¿Por qué estamos felices de participar en la cena del Señor?**

La fe en el hogar

Analicen la respuesta de su hijo o hija a la pregunta. Hablen acerca de lo que sucede cuando recibimos la sagrada comunión, tomando como referencia la lista de la página 134. Usen esa página para enseñarle a su hijo o hija cómo recibir la sagrada comunión.

Holy Communion

During Holy Communion, the priest invites us to the table. He reminds us of Jesus' sacrifice and presence in the Eucharist. He holds up the large Host and says, "Behold the Lamb of God, behold him who takes away the sins of the world. Blessed are those called to the supper of the Lamb." We come forward in a procession. Sometimes we sing.

When it is our turn to receive Jesus, we cup our hands with one hand on top of the other. The priest, deacon, or extraordinary minister of Holy Communion says, "The Body of Christ." We answer, "Amen."

Often, we may also receive from the cup. After we swallow the Host, we go to the deacon or extraordinary minister of Holy Communion, who offers the cup and says, "The Blood of Christ." We answer, "Amen." We return to our places. We pray or sing a prayer of thanksgiving.

We should receive Holy Communion every time we participate in the Mass. We must do so at least once a year.

❓ **Why are we blessed to share in the Supper of the Lamb?**

Faith at Home

Review your child's response to the question. Talk about what happens when we receive Holy Communion by referring to the list on page 135. Use this page to show your child how to go to Holy Communion.

137

Recibe a Jesús

Responde

Escribe una oración Escribe una oración en el siguiente espacio. Comparte lo que piensas y sientes al recibir a Jesús por primera vez en la sagrada comunión.

_____

_____

_____

_____

_____

_____

Bendición final

Reúnanse y comiencen con la señal de la cruz.

Líder: Dios, Padre nuestro, te alabamos y te damos gracias por el don de la vida.

Todos: Amén.

Líder: Jesús, nuestro Salvador, te alabamos y te damos gracias por entregarte a nosotros en la sagrada comunión.

Todos: Amén.

Líder: Espíritu Santo, dador de los dones de Dios, te alabamos y te damos gracias por ayudarnos a vivir como miembros del Cuerpo de Cristo.

Todos: Amén.

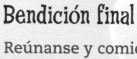

Receive Jesus

Respond

Write a prayer   In the space below, write a prayer. Share your thoughts and feelings about receiving Jesus for the first time in Holy Communion.

_____

_____

_____

_____

_____

_____

_____

Closing Blessing

Gather and begin with the Sign of the Cross.

Leader: God, our Father, we praise and thank you for the gift of life.

All: Amen.

Leader: Jesus, our Savior, we praise and thank you for giving yourself to us in Holy Communion.

All: Amen.

Leader: Holy Spirit, giver of God's gifts, we praise and thank you for helping us live as members of the Body of Christ.

All: Amen.

 Sing together.

We come to the Table of the Lord

As one body formed in your love.

We come to the Table of the Lord

As one body formed in your love.

We Come to the Table © 2004 John Burland

Enfoque en la fe

- La misa es una comida de acción de gracias.

- Jesús es el Pan de Vida.

- Nos unimos a Jesús y a la Iglesia en la sagrada comunión. Participamos en la promesa de la vida eterna con Dios.

Enfoque del rito

Compartir una comida

La celebración se centró en compartir una comida. Los niños rezaron una oración de bendición y compartieron el alimento. Durante esta semana, recen la oración de bendición de la página 124 antes de la comida principal.

Actúa

Compartan juntos Compartan en familia una comida especial de recordatorio y celebración. Animen a cada familiar a traer fotos, símbolos o recuerdos de su momento preferido en familia. Compartan los recuerdos durante la comida y terminen la misma con una oración.

Actúen juntos Preparen en familia una comida para una pareja de edad avanzada o para una familia en la que uno de los padres está enfermo o ha recibido la llegada de un nuevo bebé. Planifiquen la comida, comuníquense con la otra familia para escoger un momento conveniente, preparen la comida y entréguenla. Como una opción, ofrézcanse a servir comidas en un comedor de beneficencia o en alguna localidad de las casas del Obrero Católico.

Oración en familia

Señor, gracias por todos los dones que nos has dado. Gracias por la familia y los amigos. Ayúdanos a fortalecer nuestro amor por ti y entre todos nosotros. Envíanos al Espíritu Santo para que nos enseñe a compartir tu vida y tu amor con los demás. Amén.

Faith at Home

Faith Focus

- The Mass is a meal of thanksgiving.

- Jesus is the Bread of Life.

- In Holy Communion we are united to Jesus and the Church. We share in the promise of life forever with God.

Ritual Focus

Sharing a Meal The celebration focused on Sharing a Meal. The children prayed a blessing prayer and shared food. During the week, use the Blessing Prayer on page 63 as the prayer before your main meal.

GO online www.osvcurriculum.com
Visit our website for weekly Scripture readings and questions, family resources, and more activities.

Act

Share Together As a family, share a special meal of remembering and celebration. Encourage each member to bring pictures, symbols, or souvenirs of his or her favorite time as a family. Share the memories during the meal, and end the meal with a family prayer.

Do Together As a family, prepare a meal for an elderly couple or a family where a parent is sick or a new baby has arrived. Plan the meal, contact the family to choose a convenient time, prepare the meal, and deliver it. As an option, volunteer to serve meals at a soup kitchen or Catholic Worker house.

Family Prayer

Lord, thank you for all the gifts you have given us. Thank you for family and friends. Help us grow strong in love for one another and for you. Send us the Holy Spirit to show us how to share your life and love with others. Amen.

Nos reunimos

Procesión

Avancen lentamente. Sigan a la persona que lleva la Biblia.

Líder: Oremos.

Hagan juntos la señal de la cruz.

Escuchamos

Líder: Dios amado, al escuchar tu Palabra, abre nuestro corazón al Espíritu Santo. Te lo pedimos por Jesucristo, nuestro Señor.

Todos: Amén.

Líder: Lectura de los Hechos de los Apóstoles.

Lean Hechos 2:1–41.

Palabra de Dios.

Todos: Te alabamos, Señor.

Siéntense en silencio.

We Gather

Procession

As you sing, walk forward slowly. Follow the person carrying the Bible.

 Sing together.

> Go now, love each other.
>
> Thanks be to God.
>
> We will be your spirit;
>
> we will be your peace.
>
> Let us love each other.
>
> Lead us to the feast.

© 1998 Tom Kendzia and Gary Daigle, OCP

Leader: Let us pray.

> Make the Sign of the Cross together.

We Listen

Leader: Loving God, open our hearts to the Holy Spirit as we listen to your word. We ask this through Jesus Christ our Lord.

All: Amen.

Leader: A reading from the Acts of the Apostles.

> Read Acts 2:1–41.

> The word of the Lord.

All: Thanks be to God.

> Sit silently.

143

Enfoque del rito: Bendición para la misión

Avancen y reúnanse alrededor del agua bendita.

Líder: Así como los discípulos quedaron llenos del Espíritu Santo y se les comunicó la Buena Nueva con palabras y con hechos, lo mismo ocurre con nosotros. Pidamos la bendición de Dios.

Señor Jesús, tú viniste a la tierra para servir a los demás. Que tu ejemplo nos fortalezca.

Todos: Amén.

Líder: Por medio de tu muerte y Resurrección, hiciste un mundo nuevo donde estamos llamados a amarnos los unos a los otros. Queremos vivir de acuerdo con tu Evangelio.

Todos: Amén.

Líder: Oremos para que Dios, que es amor, nos ilumine el corazón con el fuego del Espíritu Santo.

Inclinen la cabeza y pidan la bendición de Dios.

Bendito seas, Dios de la misericordia. Por tu Hijo Jesús, nos diste un ejemplo de amor. Derrama tu bendición sobre tus hijos e hijas, para que te sirvan en su prójimo.

Todos: Amén.

ADAPTADO DEL BENDICIONAL, 587

Evangelicemos

Hagan juntos la señal de la cruz con el agua.

Líder: Vayamos ahora a amar y servir a Dios.

Todos: Demos gracias a Dios.

Ritual Focus: Blessing for Mission

Come forward, and gather around the holy water.

Leader: Just as the disciples were filled with the Holy Spirit and told the good news in word and action, so are we. Let us pray for God's blessing.

Lord Jesus, you came on Earth to serve others. May your example strengthen us.

All: Amen.

Leader: Through your dying and rising, you made a new world where we are called to love one another. May we live according to your Gospel.

All: Amen.

Leader: Let us pray that God, who is love, will light our hearts with the fire of the Holy Spirit.

Bow your heads, and pray for God's blessing.

Blessed are you, God of mercy. Through your Son Jesus, you gave us an example of love. Send down your blessing on your children. Let them serve you in their neighbor.

All: Amen.

ADAPTED FROM THE BOOK OF BLESSINGS, 587

We Go Forth

Make the Sign of the Cross with the water.

Leader: Go and announce the Gospel of the Lord.

All: Thanks be to God.

 Sing the opening song together.

145

Bendito seas

SIGNOS DE FE

Bendición

Una bendición es un acto en el que usamos palabras y gestos para pedir a Dios que nos muestre su bondad. Hay muchas clases de bendiciones. La Iglesia bendice a las personas y a los objetos. Se bendice a los padres cuando bautizan a sus hijos o hijas. Se bendice a los animales el día de san Francisco. Los padres bendicen a sus hijos o hijas por la noche o cuando se despiertan por la mañana. El sacerdote bendice objetos especiales, como los rosarios. En la misa, el sacerdote bendice a la asamblea.

Reflexiona

Bendición para la misión Piensa y escribe acerca de la celebración.

Cuando recibo una bendición

_____

_____

_____

El Espíritu Santo me ayuda

_____

_____

_____

Cuando me pongo al servicio de los necesitados

_____

_____

_____

Being Blessed

Blessing

A blessing is an action, using words and gestures, to ask God to show his kindness to us. There are many kinds of blessings. The Church blesses people and objects. Parents are blessed when their children are baptized. Animals are blessed on the feast of Saint Francis. Parents bless children at night or when they wake in the morning. The priest blesses special objects such as rosaries. At Mass the priest blesses the assembly.

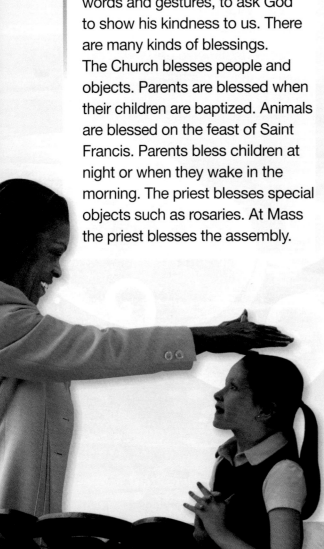

Reflect

Blessing for a mission   Think and write about the celebration.

When I receive a blessing

_____

_____

_____

The Holy Spirit helps me

_____

_____

When I serve people in need

_____

_____

147

Enviados a una misión

¿Te han enviado alguna vez a hacer una tarea especial? Cuando te envían, significa que tienen confianza en ti. Representas a otra persona. Eres responsable. Alguien cuenta contigo. Sin ti, la tarea no se haría.

Al final de la misa, nos envían a llevar el mensaje del amor de Dios a los demás. Nos envían a que ayudemos a llevar a cabo la obra de Jesús en el mundo. La palabra *misa* viene de una palabra que significa "ser enviado a una misión". Recibir a Jesús en la sagrada comunión nos fortalece para que amemos y sirvamos a los demás. Salimos de la misa con la bendición de Dios.

SIGNOS DE FE

Dar testimonio

Al final de la misa, nos envían a dar testimonio de nuestra fe en la presencia de Jesús en el mundo de hoy. Dar testimonio es contar a los demás lo que vemos u oímos. Nosotros damos testimonio de la presencia de Jesús cuando hablamos de Él con nuestras palabras y nuestras acciones.

Sent on a Mission

Have you ever been sent to do a special job? Being sent means you are trusted. You represent someone else. You are responsible. Someone is counting on you. Without you, the job will not get done.

At the end of Mass, we are sent to carry the message of God's love to others. We are sent to help carry out the work of Jesus in the world. The word *Mass* comes from a word that means "to be sent on a mission." Receiving Jesus in Holy Communion strengthens us to love and serve others. We go out from Mass with God's blessing.

SIGNS OF FAITH

Witness

At the end of Mass, we are sent forth to be witnesses of faith in Jesus' presence in the world today. A witness is somebody who sees or hears something and tells others about it. We witness to Jesus' presence when we tell others about him in our words and in our actions.

El Espíritu Santo

Enfoque en la fe

¿Qué sucede cuando recibimos el Espíritu Santo?

Antes de regresar al cielo con su Padre, Jesús les dio una misión a sus discípulos. Quería que ellos enseñaran su mensaje a los demás. Jesús prometió a los discípulos que les enviaría al Espíritu Santo para que los ayudara en su misión. Cincuenta días después de la Resurrección de Jesús, su promesa se cumplió.

Sagrada Escritura

HECHOS 2:1–41

Pentecostés

El día de Pentecostés, los discípulos estaban todos reunidos en un lugar. De repente, vino del cielo un ruido como una fuerte ráfaga de viento que llenó toda la casa. Luego aparecieron lenguas de fuego sobre la cabeza de cada uno de los discípulos. Los discípulos quedaron llenos del Espíritu Santo. Salieron a las calles y empezaron a hablar a la gente acerca de Jesús y su mensaje. Las personas que escuchaban se sorprendieron, porque los discípulos estaban hablando en distintos idiomas. Se preguntaban si acaso estaba pasándoles algo malo.

The Holy Spirit

What happens when we receive the Holy Spirit?

Before Jesus returned to his Father in Heaven, he gave his disciples a mission. He wanted them to teach others about his message. Jesus promised the disciples he would send the Holy Spirit to help them with their mission. Fifty days after Jesus' Resurrection, his promise came true.

ACTS 2:1–41

Pentecost

During the feast of Pentecost, the disciples were all in one place together. Suddenly there came from the sky a noise like a strong wind. It filled the whole house. Then flames of fire came to rest above each of the disciples' heads. The disciples were filled with the Holy Spirit. They went out into the street and began to tell the crowd about Jesus and his message. The people who listened were surprised because the disciples were speaking in different languages. They wondered if something was wrong with the disciples!

—No nos ocurre nada malo —dijo Pedro alzando la voz—, lo que ha pasado es la obra del Espíritu Santo. Jesús de Nazaret ha enviado al Espíritu Santo como prometió. Este Jesús a quien ustedes crucificaron ha resucitado de entre los muertos. Y agregó después: —Él es el Mesías.

Las personas querían creer. —¿Qué tenemos que hacer? —dijeron. —Vuelvan a Dios y háganse bautizar en el nombre de Jesucristo —les dijo Pedro—. Sus pecados serán perdonados, y ustedes recibirán el Espíritu Santo. Ese día, se bautizaron unas tres mil personas.

BASADO EN HECHOS 2:1–41

❓ **¿Qué hizo el Espíritu Santo por los discípulos?**

❓ **¿Cómo te ayuda el Espíritu Santo?**

La fe en el hogar

Lean el relato de la Sagrada Escritura con su hijo o hija. Conversen sobre las respuestas de su hijo o hija a las preguntas. Compartan las ocasiones en que invocan al Espíritu Santo para pedirle ayuda. Repasen la oración al Espíritu Santo de las páginas 142 y 144. Escojan un momento apropiado cada día para rezarla juntos; por ejemplo, antes de comer, a la hora de ir a dormir, en el automóvil.

Comparte

Escribe una rima En una hoja aparte, escribe tu propia rima sobre el Espíritu Santo. Usa por lo menos tres de las siguientes palabras.

Espíritu Santo	jugar	completamente
en	ser	guía
hoy	orar	ayuda

Peter raised his voice and said, "There is nothing wrong with us. What has happened is the work of the Holy Spirit. Jesus of Nazareth has sent the Holy Spirit as he promised." Then Peter said, "This Jesus whom you crucified has been raised from the dead. He is the Messiah."

The people wanted to believe. They said, "What shall we do?" Peter told them, "Turn to God and be baptized in the name of Jesus Christ. Your sins will be forgiven and you will receive the Holy Spirit." About three thousand people were baptized that day.

BASED ON ACTS 2:1–41

❷ **What did the Holy Spirit do for the disciples?**

❷ **How does the Holy Spirit help you?**

Faith at Home

Read the Scripture story with your child. Discuss your child's responses to the questions. Share times when you call on the Holy Spirit for help. Review the Prayer to the Holy Spirit on pages 72–73. Choose an appropriate time each day to pray the prayer together—for example, before meals, at bedtime, or in the car.

Share

Write a rhyme On a separate sheet of paper, write your own rhyme about the Holy Spirit. Use at least three of the words below.

Holy Spirit	play	wide
in	be	guide
today	pray	help

Se nos envía

SIGNOS DE FE

Diácono

Un **diácono** es un hombre que ordena el obispo para que haga obras de caridad y tenga un papel especial en el culto. Algunos diáconos llegan a ser sacerdotes. Otros no, pero ayudan al obispo y se ocupan de los necesitados. Todos los diáconos pueden bautizar y ser testigos de la Iglesia en un matrimonio. En la misa los diáconos pueden llevar el evangeliario, leer el Evangelio y predicar. Pueden también enviarnos a cumplir nuestra misión al final de la misa.

Enfoque en la fe

¿Cómo amamos y servimos a Jesús?

Igual que a Pedro y a los discípulos, Jesús también nos promete el Espíritu Santo. El Espíritu Santo está con nosotros siempre.

El Espíritu Santo nos ayuda a:

- hablarles a los demás acerca de su amor

- realizar la misión del discípulo

- perdonar a los demás

- ocuparnos de los que necesitan ayuda, especialmente de los pobres

We Are Sent

Deacon

A **deacon** is a man ordained by the bishop to do works of charity and to have a special role in worship. Some deacons become priests. Other deacons do not, but they help the bishop and care for people who need it. All deacons can baptize and witness a marriage. At Mass deacons may carry the Book of the Gospels, read the Gospel, and preach. They can also send us forth for mission at the end of Mass.

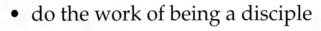

Faith Focus

How do we love and serve Jesus?

Like Peter and the disciples, Jesus promises us the Holy Spirit. The Holy Spirit is with us always. The Holy Spirit helps us:

- tell others about his love

- do the work of being a disciple

- forgive others

- care about people who need help, especially those who are poor

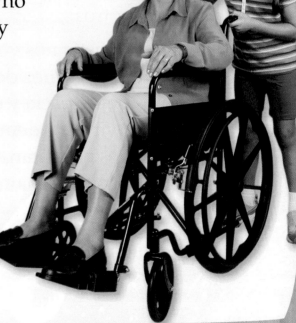

Evangelicemos

Al final de la misa nos envían a servir a los demás. El sacerdote o el diácono dice: "Vayan en paz para amar y servir a Dios". Nosotros respondemos: "Demos gracias a Dios". Vamos ahora a compartir la Buena Nueva de que Jesús está vivo. Vamos a compartir la Buena Nueva con lo que decimos y con lo que hacemos.

Al salir de la iglesia después de la misa, somos distintos de cuando entramos. Participar en la eucaristía nos cambia: nos acerca a Dios Padre, al Hijo y al Espíritu Santo, y nos acerca también los unos a los otros.

En la eucaristía nos volvemos un solo cuerpo, así como muchos granos de trigo forman un pan. Nos llenamos de la gracia y del amor de Dios. Vamos ahora a servir a los demás. Vamos ahora a ayudar a los que nos necesitan. Amamos y servimos a Jesús cuando nos amamos y nos servimos los unos a los otros.

❓ ¿De qué manera ayuda tu familia a los demás?

La fe en el hogar

Conversen sobre la respuesta de su hijo o hija a la pregunta de esta página. Hablen sobre las maneras en que pueden prestar servicio a los demás dentro de su familia. Reten a todos los miembros de la familia a prestarle un servicio a otro miembro sin que esa persona lo sepa.

Go Forth

At the end of Mass, we are sent forth to serve others. The priest or deacon says, "Go forth, the Mass has ended." We respond, "Thanks be to God." We go forth to announce the joyful good news that Jesus is alive. We share the good news by what we say and what we do.

When we leave the church after Mass, we are different from when we came in. Participating in the Eucharist changes us. It brings us closer to God the Father, Son, and Holy Spirit. It also brings us closer to one another.

In the Eucharist we become one body, just as many grains of wheat make one loaf of bread. We are filled with God's grace and love. We go forth in peace to give glory to God. We go forth to help those who need our help. We love and serve Jesus when we love and serve one another.

❓ **What are some ways your family helps others?**

Faith at Home

Discuss your child's response to the question on this page. Talk about ways in which you can serve others within your family. Challenge every family member to serve another member without that person knowing it.

157

Enviados a servir

Responde

Escribe un relato   Escribe un relato sobre cómo puedes servir a los demás.

_____

_____

_____

_____

_____

_____

_____

Bendición final

Reúnanse y comiencen con la señal de la cruz.

Líder: Dios, Padre nuestro, envíanos a hablarle al mundo de tu amor.

Todos: Amén.

Líder: Jesús, nuestro Salvador, envíanos a servir a los demás.

Todos: Amén.

Líder: Espíritu Santo, guíanos para que podamos ver a qué lugares estamos llamados a amar y a servir.

Todos: Amén.

Sent to Serve

Respond

Write a story   Write a story about how you can serve others.

_____

_____

_____

_____

_____

_____

_____

Closing Blessing

Gather and begin with the Sign of the Cross.

Leader: God, our Father, send us forth to tell the world about your love.

All: Amen.

Leader: Jesus, our Savior, send us forth to serve others.

All: Amen.

Leader: Holy Spirit, guide us to see the places where we are called to love and serve.

All: Amen.

 Sing together.

Go now, love each other.
Thanks be to God.
We will be your spirit.
We will be your peace.
Let us love each other.
Lead us to the feast.

La fe en el hogar

Enfoque en la fe

- La eucaristía nos cambia.

- El Espíritu Santo nos ayuda a cumplir nuestra misión.

- En la misa nos envían a amar y servir a los demás.

Enfoque del rito

Bendición para la misión

La celebración se centró en la misión que somos enviados a cumplir. Se bendijo a los niños y se les envió a evangelizar. Habitúense a un rito familiar de bendecirse unos a otros con la señal de la cruz en la frente cuando salen de casa por la mañana.

APRENDE en línea
www.osvcurriculum.com
Visite nuestro sitio Web y encontrará lecturas semanales de la Sagrada Escritura y preguntas, recursos para la familia y otras actividades.

Actúa

Compartan juntos Hagan una lista de las maneras en que los miembros de su familia se demuestran amor y se cuidan los unos a los otros. Luego aporten ideas entre todos acerca de las diferentes maneras en que la familia pudiera continuar demostrándose amor y cuidado. Sugieran una "semana de amor y servicio" en familia. Escriban los nombres de los miembros de la familia en papeles separados. Pidan a cada uno que saque un papel. Invítenlos a hacer alguna acción de "amor y servicio" para esa persona.

Actúen juntos Consigan un ejemplar del boletín o del periódico parroquial. Léanlo en familia y busquen actividades parroquiales de servicio y de trabajo comunitario. Escojan una actividad en la que pueda participar toda la familia y llamen a la parroquia para ofrecerse. Después de la actividad en que participaron como voluntarios, conversen en familia sobre la experiencia y sobre cómo los hizo sentirse amar y servir a los demás.

Semana de amor y servicio

Oración en familia

Ven, Espíritu Santo, enséñanos el camino y danos la fuerza para amar y servir a los demás. Amén.

Faith at Home

Faith Focus

- The Eucharist changes us.
- The Holy Spirit helps us to live out our mission.
- At Mass we are sent forth in peace to announce the good news.

Ritual Focus

Blessing for Mission The celebration focused on being sent forth for mission. The children were blessed and sent forth. Establish a family ritual of blessing each other with the Sign of the Cross on the forehead when you leave the house in the morning.

Act

Share Together Make a list of ways members of your family show love and care for each other. Then brainstorm together other ways the family might continue to show love and care. Suggest a family "love and serve" week. Write the names of family members on separate slips of paper. Have each member draw a name. Invite family members to do some "love and serve" actions for that person.

Do Together Obtain copies of the parish bulletin or newsletter. As a family, go through it and locate parish activities of service and outreach. Choose one that the whole family can get involved in, and call the parish to volunteer. After volunteering, hold a family discussion about the experience and how it felt to love and serve others.

Love and Serve Week

Family Prayer

Come Holy Spirit, show us the way and give us the strength to love and serve others. Amen.

Recursos católicos

Palabras de fe

acomodador Persona de la recepción que recibe a los miembros de la asamblea que concurren a la misa y ayuda a dirigir las procesiones y las colectas.

altar La mesa de la eucaristía. En el altar se celebra la Liturgia eucarística.

ambón Atril desde donde se proclama la Sagrada Escritura. A veces se le llama facistol.

asamblea La comunidad bautizada que se reúne para celebrar la eucaristía, los sacramentos u otra liturgia.

Bautismo Uno de los tres sacramentos de la iniciación. El Bautismo nos da vida nueva en Dios y nos hace miembros de la Iglesia.

bendición Acto de palabras y de gestos para pedirle a Dios que nos muestre su bondad.

Biblia La Palabra de Dios escrita con palabras humanas. La Biblia es el libro sagrado de la Iglesia.

cáliz La copa especial de plata o de oro que se usa en la misa para colocar el vino que se transforma en la Sangre de Cristo.

cantor El líder de los cantos durante la misa y demás celebraciones de la Iglesia.

cirio pascual Otro nombre para designar la vela que se enciende en la Vigilia Pascual.

colecta Las ofrendas de dinero recolectadas de los miembros de la asamblea y presentadas durante el momento de la preparación del altar.

Confirmación Uno de los tres sacramentos de la iniciación. Es el sacramento que fortalece la vida de Dios que recibimos en el Bautismo y nos sella con el don del Espíritu Santo.

conmemorativa Otra palabra para decir recordatoria. En la misa, significa recordar y proclamar las obras de Dios.

Consagración La parte de la plegaria eucarística en que, a través de las oraciones y las acciones del sacerdote y del poder del Espíritu Santo, los dones del pan y del vino se convierten en el Cuerpo y la Sangre de Jesús.

copón El recipiente especial de plata o de oro usado en la misa para colocar las hostias pequeñas consagradas para la comunión. Un copón tapado contiene también el Santísimo Sacramento en el tabernáculo.

Cordero de Dios Título dado a Jesús, que nos recuerda que Él ofreció su vida a través del sufrimiento y de la muerte para quitarnos los pecados.

crisma El aceite bendecido por el obispo que se usa en los sacramentos del bautismo, la confirmación y la orden.

cristianos Nombre dado a los que se bautizan y siguen a Jesús.

Cuerpo de Cristo Nombre para designar a la Iglesia. Indica que Cristo es la cabeza y los bautizados son los miembros del cuerpo.

diácono Hombre que está ordenado para servir a la Iglesia. Los diáconos pueden bautizar, proclamar el Evangelio, predicar, asistir al sacerdote en la misa, ser testigos de casamiento y hacer obras de caridad.

 **Eucaristía** Uno de los tres sacramentos de la iniciación. Es el sacramento del Cuerpo y la Sangre de Cristo. En la Eucaristía, Jesús está verdadera y realmente presente. La palabra *Eucaristía* significa "acción de gracias".

Evangeliario Libro ornamentado que contiene las lecturas de los cuatro Evangelios para la Liturgia de la Palabra.

gracia Participación en la misma vida de Dios.

hostia Trozo redondo de pan sin levadura usado en la misa. Cuando se consagra la hostia en la misa, se convierte en el Cuerpo y la Sangre de Cristo.

Iglesia La comunidad de todas las personas bautizadas que creen en Dios y siguen a Jesús.

 **incienso** Aceites y especias que se queman en las celebraciones litúrgicas para mostrar respeto por las cosas sagradas. También se usa como señal de que nuestras oraciones se elevan a Dios.

leccionario El libro de las lecturas de la Sagrada Escritura usado en la misa.

lector Persona que proclama la Palabra de Dios en la misa u otras celebraciones litúrgicas.

Liturgia de la Palabra La primera parte principal de la misa. Es el momento en que escuchamos la Palabra de Dios de la Sagrada Escritura.

Liturgia eucarística La segunda parte principal de la misa. Es el momento en que convocamos al Espíritu Santo y el sacerdote consagra el pan y el vino. Recordamos y damos gracias por todos los dones de Dios, especialmente la vida, la muerte y la Resurrección de Jesús.

misa Otro nombre dado a la Eucaristía.

misal romano El libro que contiene el ordinario de la misa, las celebraciones especiales del año y varias de las oraciones que dice el sacerdote en la misa.

misión Tarea o función que se manda a cumplir a una persona y de la cual es responsable. La misión de la Iglesia es anunciar la Buena Nueva del Reino de Dios.

misterio Algo que creemos acerca de Dios y de sus acciones, pero que no entendemos cómo sucede.

monaguillo Persona que ayuda al sacerdote y al diácono en la misa.

oración Hablar con Dios y escucharlo. Es elevar nuestra mente y nuestro corazón a Dios.

patena La bandeja o el plato de plata o de oro que se usa en la misa para colocar la hostia grande.

pecado original Primer pecado que cometieron los primeros humanos.

Pentecostés La fiesta que celebra la venida del Espíritu Santo sobre los Apóstoles y los discípulos cincuenta días después de la Pascua. Celebramos este día como el comienzo de la Iglesia.

pila bautismal Recipiente con forma de cuenco o pileta de agua que se usa para el bautismo. La palabra *pila* significa "fuente".

preparación del altar y de los dones La parte de la misa en que se prepara el altar, y los miembros de la asamblea le llevan al sacerdote el pan y el vino que se convertirán en el Cuerpo y la Sangre de Jesús.

procesión Grupo de personas que se trasladan ordenadamente de un lugar a otro como parte de una celebración.

pueblo de Dios Nombre dado a la Iglesia, que nos indica que Cristo nos envía a predicar el amor de Dios a todas las personas.

sacerdote Hombre que se ha ordenado para servir a Dios y guiar a la Iglesia mediante la celebración de los sacramentos y de la misa, la predicación durante la misa y la realización de otras obras espirituales.

sacramento Signo externo que proviene de Jesús y que nos da una participación en la vida de Dios.

Sacramentos de la Iniciación Los tres sacramentos del Bautismo, la Confirmación y la Sagrada Eucaristía que juntos nos hacen miembros plenos de la Iglesia. Son signos de que pertenecemos a Dios y a la Iglesia católica.

Sagrada Comunión El Cuerpo y la Sangre de Cristo que recibimos en la Eucaristía.

Santísima Trinidad Las tres Personas en un Dios: Dios Padre, Dios Hijo y Dios Espíritu Santo.

Santísimo Sacramento Otro nombre dado al Cuerpo y a la Sangre de Jesús.

santuario La parte de la iglesia donde están ubicados el altar y el ambón. La palabra *santuario* significa "lugar sagrado".

señal de paz La señal de paz es una oración de acción que intercambiamos antes de la comunión para desearle la paz de Dios a quienes la reciben. Indica que somos uno en el amor de Cristo.

tabernáculo Lugar donde se guarda el Santísimo Sacramento. Puede estar ubicado en el santuario o en una capilla especial de la iglesia. Cerca del tabernáculo se mantiene encendida una lámpara o una vela como señal de que Jesús está presente. La palabra *tabernáculo* significa "lugar de encuentro".

unidad Palabra que significa ser uno con los demás.

vestiduras La ropa especial que usan el sacerdote y algunas de las otras personas para la misa y las demás celebraciones litúrgicas.

vinajeras Jarritas o pequeños recipientes que contienen el agua y el vino que se usan en la misa.

Yo confieso Oración de arrepentimiento por los pecados cometidos. En ella, cada persona le dice a Dios y a la familia de la Iglesia: "Perdónenme". Pedimos perdón.

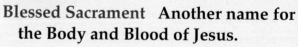
Words of Faith

Agnus Dei (Lamb of God)   A title for Jesus that reminds us that he offered his life through suffering and death to take away our sins.

altar   The table of the Eucharist. The Liturgy of the Eucharist is celebrated at the altar.

altar server   A person who helps the priest and deacon at Mass.

ambo   The reading stand from which the Scriptures are proclaimed. It is sometimes called the lectern.

assembly   The baptized community gathered to celebrate the Eucharist, the Sacraments, or other liturgy.

Baptism   One of the three Sacraments of Initiation. Baptism gives us new life in God and makes us members of the Church.

baptismal font   A bowl-shaped container or pool of water used for Baptism. The word *font* means "fountain."

Bible   God's word written in human words. The Bible is the holy book of the Church.

Blessed Sacrament   Another name for the Body and Blood of Jesus.

blessing   An action using words and gestures which asks God to show his kindness to us.

Body of Christ A name for the Church. It tells us that Christ is the head and the baptized are the members of the body.

Book of the Gospels A decorated book containing the readings from the four Gospels used during the Liturgy of the Word.

cantor The leader of song during the Mass and other Church celebrations.

chalice The special silver or gold cup used at Mass to hold the wine that becomes the Blood of Christ.

chrism The oil blessed by the bishop used in the Sacraments of Baptism, Confirmation, and Holy Orders.

Christian The name given to people who are baptized and follow Jesus.

Church The community of all baptized people who believe in God and follow Jesus.

ciborium The special silver or gold container used at Mass to hold the smaller consecrated Hosts for communion. A covered ciborium also holds the Blessed Sacrament in the tabernacle.

collection The gifts of money collected from members of the assembly and presented during the time of the Preparation of the Altar.

Confirmation One of the three Sacraments of Initiation. It is the Sacrament that strengthens the life of God we received at Baptism and seals us with the gift of the Holy Spirit.

Confiteor A prayer of sorrow for sin. In it each person tells God and the Church family, "I am sorry." We ask for forgiveness.

169

Consecration The part of the Eucharistic Prayer when, through the prayers and actions of the priest and the power of the Holy Spirit, the gifts of bread and wine become the Body and Blood of Jesus.

cruets Small pitchers or containers that hold the water and wine used at Mass.

D

deacon A man who is ordained to serve the Church. Deacons may baptize, proclaim the Gospel, preach, assist the priest at Mass, witness marriages, and do works of charity.

E

Eucharist One of the three Sacraments of Initiation. It is the sacrament of the Body and Blood of Christ. Jesus is truly and really present in the Eucharist. The word *Eucharist* means "thanksgiving."

G

grace A sharing in God's own life.

H

Holy Communion The Body and Blood of Christ that we receive in the Eucharist.

Holy Trinity The three Persons in one God: God the Father, God the Son, and God the Holy Spirit.

host A round piece of unleavened bread used at Mass. When the host is consecrated at Mass, it becomes the Body and Blood of Christ.

I

incense Oils and spices that are burned in liturgical celebrations to show honor for holy things. It is also used as a sign of our prayers rising to God.

Lamb of God (*Agnus Dei*)   A title for Jesus that reminds us that he offered his life through suffering and death to take away our sins.

lectionary   The book of Scripture readings used at Mass.

lector   A person who proclaims God's word at Mass or other liturgical celebrations. The word *lector* means "reader."

Liturgy of the Eucharist   The second main part of the Mass. It is the time when we call on the Holy Spirit and the priest consecrates the bread and wine. We remember and give thanks for all of God's gifts, especially Jesus' life, death, and Resurrection.

Liturgy of the Word   The first main part of the Mass. It is the time when we listen to God's word in the Scriptures.

Mass   Another name for the Eucharist.

memorial   Another word for remembering. In the Mass, it means to remember and proclaim God's works.

mission   A job or duty someone is sent to do and takes responsibility for. The Church's mission is to announce the good news of God's Kingdom.

mystery   Something we believe about God and his actions, but we do not understand how it happens.

Mystery of Faith   This is the part of the Eucharistic Prayer that reflects upon the death, Resurrection, and Second Coming of Christ.

Original Sin   The first sin committed by the first humans.

Paschal candle   Another name for the Easter candle that is lit at the Easter Vigil.

paten   The silver or gold plate or dish used at Mass to hold the large Host.

Pentecost   The feast that celebrates the coming of the Holy Spirit on the Apostles and disciples fifty days after Easter. We celebrate this day as the beginning of the Church.

People of God   A name for the Church which tells us that we are sent by Christ to preach God's love to all people.

prayer   Talking and listening to God. It is raising our minds and hearts to God.

Preparation of the Gifts   The part of the Mass when the altar is prepared and members of the assembly bring the bread and wine, which will become the Body and Blood of Jesus, to the priest at the altar.

priest   A man who is ordained to serve God and lead the Church by celebrating the Sacraments, preaching and presiding at Mass, and performing other spiritual works.

procession   A group of people moving forward as part of a celebration.

Roman Missal   The book containing the Order of the Mass, special celebrations during the year, and various prayers used by the priest at Mass.

Sacrament   An outward sign that comes from Jesus, which gives us a share in God's life.

Sacraments of Initiation   The three Sacraments of Baptism, Confirmation, and Holy Eucharist that together make us full members of the Church. They are signs that we belong to God and to the Catholic Church.

sanctuary The part of the church where the altar and ambo are located. The word *sanctuary* means "holy place."

Sign of Peace The Sign of Peace is an action prayer that we exchange before Communion as a sign to wish God's peace on those who receive it. It shows that we are one in Christ's love.

tabernacle The container in which the Blessed Sacrament is kept. It may be located in the sanctuary or a special chapel in the church. A lamp or candle is kept burning near the tabernacle as a sign that Jesus is present. The word *tabernacle* means "meeting place."

unity A word that means to be one with others.

usher A person of hospitality who welcomes members of the assembly to Mass and helps direct processions and collections.

vestments The special clothing worn by the priest and some others for Mass and other liturgical celebrations.

Ordinario de la misa

Cada domingo nos reunimos unidos como uno con todos los miembros de la Iglesia para alabar y dar gracias a Dios.

Ritos iniciales

Durante los ritos iniciales, nos preparamos para escuchar la Palabra de Dios y para celebrar la eucaristía.

Entrada

El sacerdote, el diácono y los otros ministros empiezan la procesión al altar. Nosotros nos ponemos de pie y cantamos. El saludo y nuestra respuesta indican que estamos reunidos como Iglesia.

Saludo al altar y al pueblo

Cuando la procesión llega al altar, el sacerdote, el diácono y los otros ministros hacen una profunda inclinación. El sacerdote y el diácono, además, besan el altar como señal de reverencia. En momentos especiales, el sacerdote quemará incienso frente a la cruz y al altar. El sacerdote se dirige a su silla y nos guía con la señal de la cruz y el saludo.

Sacerdote:	En el nombre del Padre, del Hijo y del Espíritu Santo.
Pueblo:	Amén.
Sacerdote:	La gracia y la paz de Dios, nuestro Padre, y de nuestro Señor Jesucristo esté con vosotros.
Pueblo:	Y con tu espíritu.

Rito de aspersión del agua bendita

Algunos domingos, el sacerdote hace el rito de aspersión en lugar del rito penitencial. Somos bendecidos con agua bendita para recordarnos nuestro bautismo.

Acto penitencial

El sacerdote invita a la asamblea a confesar junta sus pecados.

Order of Mass

Every Sunday we gather together united as one with all the members of the Church to give praise and thanks to God.

Introductory Rites

During the Introductory Rites, we prepare to listen to God's word and prepare to celebrate the Eucharist.

Entrance Chant

The priest, deacon, and other ministers begin the procession to the altar. We stand and sing. The Greeting and our response shows that we are gathered together as the Church.

Greeting

When the procession reaches the altar, the priest, deacon, and other ministers make a profound bow. The priest and deacon also kiss the altar as a sign of reverence. At special times the priest will burn incense at the cross and altar. The priest goes to his chair and leads us in the Sign of the Cross and Greeting.

> **Priest:** In the name of the Father, and of the Son, and of the Holy Spirit.
>
> **People:** Amen.
>
> **Priest:** The grace of our Lord Jesus Christ, and the love of God, and the communion of the Holy Spirit be with you all.
>
> **People:** And with your spirit.

Rite for the Blessing and Sprinkling of Water

On some Sundays, the priest does a Rite of Sprinkling in place of the Penitential Act. We are blessed with holy water to remind us of our Baptism.

Penitential Act

The priest invites the assembly to confess our sins together.

Yo confieso

Yo confieso ante Dios todopoderoso
　y ante vosotros, hermanos,
　que he pecado mucho
　de pensamiento, palabra, obra y omisión.
Por mi culpa, por mi culpa, por mi gran culpa.
Por eso ruego a Santa María, siempre Virgen,
　a los ángeles, a los santos
　y a vosotros, hermanos,
　que intercedáis por mí ante Dios,
　nuestro Señor.

Señor, ten piedad

Sacerdote: Señor, ten piedad.

Pueblo: Señor, ten piedad.

Sacerdote: Cristo, ten piedad.

Pueblo: Cristo, ten piedad.

Sacerdote: Señor, ten piedad.

Pueblo: Señor, ten piedad.

Sacerdote: Dios todopoderoso,
　tenga misericordia de nosotros,
　perdone nuestros pecados
　y nos lleve a la vida eterna.

Pueblo: Amén.

Gloria

Algunos domingos alabamos a Dios Padre, a Dios Hijo y a Dios Espíritu Santo.

Gloria a Dios en el cielo,
　y en la tierra paz a los hombres
　que ama el Señor.
Por tu inmensa gloria
　te alabamos, te bendecimos,
　te adoramos, te glorificamos,
　te damos gracias,
　Señor Dios, Rey celestial,
　Dios Padre todopoderoso.
　Señor, Hijo único, Jesucristo.
Señor Dios, Cordero de Dios,
　Hijo del Padre;
　tú que quitas el pecado del mundo,
　ten piedad de nosotros;
　tú que quitas el pecado del mundo,
　atiende nuestra súplica;
　tú que estás sentado a la derecha del Padre,
　ten piedad de nosotros;
　porque sólo tú eres Santo,
　sólo tú Señor,
　sólo tú Altísimo, Jesucristo,
　con el Espíritu Santo
　en la gloria de Dios Padre.
Amén.

Confiteor

I confess to almighty God
and to you, my brothers and sisters,
that I have greatly sinned,
in my thoughts and in my words,
in what I have done and in what I have
    failed to do,

Gently strike your chest with a closed fist.

through my fault, through my fault,
through my most grievous fault;

Continue:

therefore I ask blessed Mary ever-Virgin,
all the Angels and Saints,
and you, my brothers and sisters,
to pray for me to the Lord our God.

Kyrie Eleison (Lord Have Mercy)

Priest: You were sent to heal the contrite of heart:
Lord, have mercy. Or: Kyrie, eleison.
People: Lord, have mercy. Or: Kyrie, eleison.
Priest: You came to call sinners:
Christ, have mercy. Or: Christe, eleison.
People: Christ, have mercy. Or: Christe, eleison.
Priest: You are seated at the right hand of
    the Father to intercede for us:
Lord, have mercy. Or: Kyrie, eleison.
People: Lord, have mercy. Or: Kyrie, eleison.
Priest: May almighty God have mercy on us,
    forgive us our sins, and bring us to
    everlasting life.
People: Amen.

Gloria

On some Sundays, we praise God the Father, the Son, and the Holy Spirit.

Glory to God in the highest,
and on earth peace to people of good will.
We praise you,
we bless you,
we adore you,
we glorify you,
we give you thanks for your great glory,
Lord God, heavenly King,
O God, almighty Father.

Lord Jesus Christ, Only Begotten Son,
Lord God, Lamb of God, Son of the Father,
you take away the sins of the world,
    have mercy on us;
you take away the sins of the world,
    receive our prayer;
you are seated at the right hand of the Father,
    have mercy on us.

For you alone are the Holy One,
you alone are the Lord,
you alone are the Most High,
Jesus Christ,
with the Holy Spirit,
in the glory of God the Father. Amen.

Colecta

El sacerdote nos invita a orar. Nos quedamos un momento en silencio y recordamos que estamos en presencia de Dios. Pensamos en aquello por lo que queremos orar.

Sacerdote: Oremos....

Pueblo: Amén.

Liturgia de la Palabra

La Liturgia de la Palabra se celebra en todas las misas. Escuchamos la Palabra de Dios en las lecturas y en la homilía y respondemos a la Palabra de Dios con el credo y con la oración de los fieles. Los lectores y el sacerdote o el diácono leen las lecturas desde el ambón.

Primera lectura

Nos sentamos y escuchamos la Palabra de Dios del Antiguo Testamento o de los Hechos de los Apóstoles. Al final de la lectura respondemos:

Lector: Palabra de Dios.

Pueblo: Te alabamos, Señor.

Salmo responsorial

Al final de la primera lectura, el cantor nos guía en el canto de un salmo del Antiguo Testamento.

Pueblo: Canta o dice el estribillo.

Segunda lectura

Escuchamos la Palabra de Dios de los libros del Nuevo Testamento que no son evangelios. Al final de la lectura respondemos:

Lector: Palabra de Dios.

Pueblo: Te alabamos, Señor.

Collect

The priest invites us to pray. We are silent for a moment and remember we are in God's presence. We think about what we want to pray for.

Priest: Let us pray…
People: Amen.

Liturgy of the Word

The Liturgy of the Word is celebrated at every Mass. We listen to God's word in the Readings and Homily, and we respond to God's word in the Creed and Prayer of the Faithful. The lectors and the priest or deacon read the readings from the ambo.

First Reading

We sit and listen to God's word from the Old Testament or the Acts of the Apostles. At the end of the reading, we respond:

Reader: The word of the Lord.
People: Thanks be to God.

Responsorial Psalm

At the end of the first reading, the cantor, or song leader, leads us in singing a psalm from the Old Testament.

People: Sing or say the refrain.

Second Reading

We listen to God's word from the New Testament books that are not Gospels. At the end of the reading, we respond:

Reader: The word of the Lord.
People: Thanks be to God.

Aclamación antes del Evangelio

Nos ponemos de pie y recibimos al Señor, que nos habla en la lectura del Evangelio. Cantamos un Aleluya u otra aclamación para profesar nuestra fe en presencia de Dios.

Pueblo: Canta o dice el Aleluya o la aclamación al Evangelio.

Evangelio

Sacerdote o diácono: El Señor esté con vosotros.

Pueblo: Y con tu espíritu.

Sacerdote o diácono: Lectura del santo Evangelio según san...

Pueblo: Gloria a ti, Señor.

El sacerdote y el pueblo se hacen la señal de la cruz en la frente, los labios y el corazón.

Al final del Evangelio respondemos:

Sacerdote o diácono: Palabra del Señor.

Pueblo: Gloria a ti, Señor Jesucristo.

Homilía

Nos sentamos y escuchamos. El sacerdote o el diácono nos ayuda a comprender la Palabra de Dios. Nos enseña cómo podemos vivir como discípulos de Jesús.

Profesión de fe

Nos ponemos de pie y respondemos a las lecturas diciendo el credo. Profesamos nuestra fe en Dios Padre, Dios Hijo y Dios Espíritu Santo. Rezamos el credo niceno–constantinopolitano o el credo de los Apóstoles. *(Busca el credo niceno–constantinopolitano en la página 182 y el credo de los Apóstoles en la página 202.)*

Gospel Acclamation

We stand and welcome the Lord, who speaks to us in the Gospel reading. We sing an Alleluia or another acclamation to profess our faith in God's presence.

People: Sing or say the Alleluia or Gospel Acclamation.

Gospel Dialogue

Priest or deacon: The Lord be with you.

People: And with your spirit.

Priest or deacon: A reading from the holy Gospel according to...

People: Glory to you, O Lord.

The priest and people make the Sign of the Cross on the forehead, lips, and heart.

Gospel Reading

At the end of the Gospel, we respond:

Priest or deacon: The Gospel of the Lord.

People: Praise to you, Lord Jesus Christ.

Homily

We sit and listen. The priest or deacon helps us understand the word of God. He shows us how we can live as Jesus' disciples.

Profession of Faith

We stand and respond to the readings by saying the Creed. We profess our faith in God the Father, God the Son, and God the Holy Spirit. We pray the Nicene Creed or the Apostles' Creed.

(For Nicene Creed, see page 183. For Apostles' Creed, see page 203.)

Credo niceno–constantinopolitano

Pueblo: Creo en un solo Dios,
  Padre todopoderoso, Creador del
   cielo y de la tierra,
  de todo lo visible y lo invisible.
  Creo en un solo Señor, Jesucristo,
   Hijo único de Dios,
  nacido del Padre antes de todos
   los siglos:
  Dios de Dios, Luz de Luz,
  Dios verdadero de Dios verdadero,
  engendrado, no creado,
  de la misma naturaleza del Padre,
  por quien todo fue hecho;
  que por nosotros, los hombres,
  y por nuestra salvación bajó del
   cielo,
  y por obra del Espíritu Santo
  se encarnó de María, la Virgen,
   y se hizo hombre;
  y por nuestra causa fue
   crucificado
  en tiempos de Poncio Pilato,
  padeció y fue sepultado,

  y resucitó al tercer día, según las
   Escrituras,
  y subió al cielo, y está sentado a
   la derecha del Padre;
  y de nuevo vendrá con gloria
  para juzgar a vivos y muertos,
  y su reino no tendrá fin.
Creo en el Espíritu Santo, Señor
  y dador de vida,
  que procede del Padre y del Hijo,
  que con el Padre y el Hijo,
  recibe una misma adoración y
   gloria,
  y que habló por los profetas.
Creo en la Iglesia,
  que es una, santa, católica y
   apostólica.
Confieso que hay un solo bautismo
  para el perdón de los pecados.
Espero la resurrección de los
   muertos
  y la vida del mundo futuro.
Amén.

Nicene Creed

People: I believe in one God,
the Father almighty,
maker of heaven and earth,
of all things visible and invisible.

I believe in one Lord Jesus Christ,
the Only Begotten Son of God,
born of the Father before all ages.
God from God, Light from Light,
true God from true God,
begotten, not made,
consubstantial with the Father;
through him all things
were made.
For us men and for our salvation
he came down from heaven,

At the words that follow up to and including
and became man, *all bow.*

and by the Holy Spirit was incarnate
of the Virgin Mary,
and became man.

For our sake he was crucified
under Pontius Pilate,
he suffered death and was buried,

and rose again on the third day
in accordance with the Scriptures.
He ascended into heaven
and is seated at the right hand of
the Father.
He will come again in glory
to judge the living and the dead
and his kingdom will have no end.

I believe in the Holy Spirit,
the Lord, the giver of life,
who proceeds from the Father
and the Son,
who with the Father and the Son is
adored and glorified,
who has spoken through the
prophets.

I believe in one, holy, catholic and
apostolic Church.
I confess one Baptism for the
forgiveness of sins
and I look forward to the
resurrection of the dead
and the life of the world to come.
Amen.

Oración de los fieles

Nos ponemos de pie y el sacerdote, el diácono o un laico nos guía en nuestros ruegos por las necesidades de la Iglesia, del mundo, de los que necesitan nuestras oraciones y de nuestra comunidad local. Decimos o cantamos la respuesta que el líder nos indica.

Liturgia eucarística

Durante la Liturgia eucarística, llevamos nuestros dones del pan y el vino al altar. Le damos gracias a Dios Padre por todas las maneras en que nos ha salvado. Nuestros dones del pan y el vino se convierten en el Cuerpo y la Sangre de Cristo. Todos recibimos el Cuerpo y la Sangre del Señor en la comunión.

Preparación de los dones

Tomamos asiento mientras se llevan los dones del pan y el vino al altar. Se prepara el altar y se recoge la colecta. A veces cantamos durante la preparación.

El sacerdote levanta el pan y ora:

Sacerdote: Bendito seas, Señor, Dios del universo,
por este pan,
fruto de la tierra y del trabajo del hombre,
que recibimos de tu generosidad y ahora te presentamos;
él será para nosotros pan de vida.

Pueblo: Bendito seas por siempre, Señor.

El sacerdote levanta el cáliz con el vino y ora:

Sacerdote: Bendito seas, Señor, Dios del universo,
por este vino,
fruto de la vid y del trabajo del hombre,
que recibimos de tu generosidad y ahora te presentamos;
él será para nosotros bebida de salvación.

Pueblo: Bendito seas por siempre, Señor.

El sacerdote nos llama a orar.

Sacerdote: Orad, hermanos,
para que este sacrificio, mío y vuestro,
sea agradable a Dios, Padre todopoderoso.

Pueblo: El Señor reciba de tus manos este sacrificio, para alabanza y gloria de su nombre, para nuestro bien y el de toda su santa Iglesia.

Prayer of the Faithful

We stand and the priest, deacon, or a layperson leads us in praying for the needs of the Church, the world, those who need our prayers, and our local community. We say or sing the response that the leader tells us to say or sing.

Liturgy of the Eucharist

During the Liturgy of the Eucharist, we bring our gifts of bread and wine to the altar. We give thanks to God the Father for all the ways he has saved us. Our gifts of bread and wine become the Body and Blood of Christ. We all receive the Lord's Body and the Lord's Blood in communion.

Preparation of the Gifts

We sit as the gifts of bread and wine are brought to the altar. The altar is prepared as the collection is taken up. Sometimes we sing a song during the preparation.

The priest lifts up the bread and prays:

Priest: Blessed are you, Lord God of
all creation,
for through your goodness we have
received the bread we offer you:
fruit of the earth and work of
human hands,
it will become for us the bread of life.

People: Blessed be God for ever.

The priest lifts up the chalice of wine and prays:

Priest: Blessed are you, Lord God of
all creation,
for through your goodness we have
received the wine we offer you:
fruit of the vine and work of
human hands,
it will become our spiritual drink.

People: Blessed be God for ever.

Invitation to Prayer

The priest calls us to pray:

Priest: Pray, brethren (brothers and sisters),
that my sacrifice and yours
may be acceptable to God,
the almighty Father.

The people rise and reply:

People: May the Lord accept the sacrifice at
your hands
for the praise and glory of his name,
for our good
and the good of all his holy Church.

Oración sobre las ofrendas

Nos ponemos de pie y oramos con el sacerdote.
Nos preparamos para la plegaria eucarística.

Pueblo: Amén.

Plegaria eucarística

Ésta es la oración central de la eucaristía. Es una
oración de acción de gracias y santificación.

Prefacio

El sacerdote nos invita a orar. Decimos o cantamos
el prefacio.

Sacerdote: El Señor esté con vosotros.

Pueblo: Y con tu espíritu.

Sacerdote: Levantemos el corazón.

Pueblo: Lo tenemos levantado hacia
el Señor.

Sacerdote: Demos gracias al Señor,
nuestro Dios.

Pueblo: Es justo y necesario.

Aclamación

Junto con el sacerdote, decimos o cantamos:

Santo, Santo, Santo es el Señor,
Dios del Universo.
Llenos están el cielo y la tierra de tu gloria.
Hosanna en el cielo.
Bendito el que viene en nombre del Señor.
Hosanna en el cielo.

El sacerdote procede a rezar la plegaria eucarística.
Durante la plegaria eucarística, el sacerdote cuenta el
relato de todas las acciones salvadoras de Dios.

Consagración

El sacerdote toma el pan y dice las palabras
de Jesús:

Tomad y comed todos de él,
porque esto es mi Cuerpo,
que será entregado por vosotros.

El sacerdote levanta el pan consagrado, la hostia, que
ahora es el Cuerpo de Cristo.

Prayer over the Offerings

We stand and pray with the priest. We prepare for the Eucharistic Prayer.

People: Amen.

Eucharistic Prayer

This is the central prayer of the Eucharist. It is a prayer of thanksgiving and making holy.

Preface Dialogue

The priest invites us to pray. We say or sing the preface.

Priest: The Lord be with you.
People: And with your spirit.
Priest: Lift up your hearts.
People: We lift them up to the Lord.
Priest: Let us give thanks to the Lord our God.
People: It is right and just.

Preface

The priest, with hands extended, continues the preface.

Preface Acclamation

Together with the priest, we say or sing:

Holy, Holy, Holy Lord God of hosts.
Heaven and earth are full of your glory.
Hosanna in the highest.
Blessed is he who comes in the name
of the Lord.
Hosanna in the highest.

The priest continues to pray the Eucharistic prayer. During the Eucharistic prayer the priest tells the story of all of God's saving actions.

Consecration

The priest takes the bread and says the words of Jesus:

TAKE THIS, ALL OF YOU, AND EAT OF IT,
FOR THIS IS MY BODY,
WHICH WILL BE GIVEN UP FOR YOU.

The priest holds up the consecrated bread, the Host, which is now the Body of Christ.

Luego el sacerdote toma el cáliz, la copa de vino, y dice las palabras de Jesús:

Tomad y bebed todos de él,
    porque éste es el cáliz de mi Sangre,
    Sangre de la alianza nueva y eterna,
    que será derramada por vosotros
    y por todos los hombres
    para el perdón de los pecados.
Haced esto en conmemoración mía.

El pan y el vino se convierten en el Cuerpo y la Sangre de Jesús por el poder del Espíritu Santo y las palabras y las acciones del sacerdote. Jesús está verdaderamente presente bajo la apariencia del pan y el vino. Proclamamos nuestra fe en Jesús.

Aclamación conmemorativa

Sacerdote o diácono: Éste es el sacramento de nuestra fe.

Pueblo: Anunciamos tu muerte, proclamamos tu Resurrección. ¡Ven, Señor Jesús!

El sacerdote continúa la plegaria eucarística. Ruega por toda la Iglesia, por los vivos y por los muertos. Termina la plegaria cantando o diciendo en voz alta:

Sacerdote: Por Cristo, con Él y en Él,
a ti, Dios Padre omnipotente,
en la unidad del Espíritu Santo,
todo honor y toda gloria,
por los siglos de los siglos.

Pueblo: Amén.

Then the priest takes the chalice, the cup of wine, and says the words of Jesus:

TAKE THIS, ALL OF YOU, AND DRINK FROM IT,
FOR THIS IS THE CHALICE OF MY BLOOD,
THE BLOOD OF THE NEW AND
   ETERNAL COVENANT,
WHICH WILL BE POURED OUT FOR YOU AND FOR
   MANY
FOR THE FORGIVENESS OF SINS.
DO THIS IN MEMORY OF ME.

The bread and wine become the Body and Blood of Jesus through the power of the Holy Spirit and the words and actions of the priest. Jesus is truly present under the appearances of bread and wine. We proclaim our faith in Jesus.

Mystery of Faith

Priest: The mystery of faith.
People: We proclaim your Death, O Lord, and profess your Resurrection until you come again.

Concluding Doxology

The priest continues the Eucharistic Prayer. He prays for the whole Church, those who are living and those who are dead. He ends the prayer by singing or saying aloud:

Priest: Through him, and with him, and in him, O God, almighty Father, in the unity of the Holy Spirit, all glory and honor is yours, for ever and ever.
People: Amen.

189

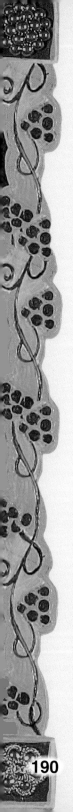

Rito de la comunión

Nos ponemos de pie para rezar el padrenuestro. Rogamos por nuestro pan de cada día. Rogamos que nuestros pecados sean perdonados.

Padrenuestro

Pueblo: Padre nuestro, que estás en
el cielo,
santificado sea tu Nombre;
venga a nosotros tu reino;
hágase tu voluntad en la tierra
como en el cielo.
Danos hoy nuestro pan de
cada día;
perdona nuestras ofensas,
como también nosotros
perdonamos
a los que nos ofenden;
no nos dejes caer en la tentación
y líbranos del mal.

Sacerdote: Líbranos de todos los males,
Señor...

Pueblo: Tuyo es el reino,
tuyo el poder y la gloria, por
siempre, Señor.

Señal de la paz

El sacerdote o el diácono nos invita a compartir la señal de la paz con los que tenemos cerca. Oramos por la paz y porque la Iglesia y el mundo sean uno.

Sacerdote: La paz del Señor esté siempre
con vosotros.

Pueblo: Y con tu espíritu.

Nos damos unos a otros la señal de la paz.

Communion Rite

We stand for the Lord's Prayer. We pray for our daily bread. We pray our sins will be forgiven.

The Lord's Prayer

People: Our Father, who art in heaven,
hallowed be thy name;
thy kingdom come,
thy will be done
on earth as it is in
heaven.
Give us this day our daily bread,
and forgive us our trespasses,
as we forgive those who trespass
against us;
and lead us not into temptation,
but deliver us from evil.

Priest: Deliver us, Lord, we pray, from
every evil...

People: For the kingdom,
the power
and the glory are yours,
now and for ever.

Sign of Peace

The priest or deacon invites us to share a Sign of Peace with those around us. We pray for peace and that the Church and the world will be united as one.

Priest: The peace of the Lord be with you
always.

People: And with your spirit.

We offer one another a Sign of Peace.

Fracción del pan

Así como Jesús partió el pan en la Última Cena y se lo dio a sus discípulos, el sacerdote parte el pan consagrado y coloca un trozo de él en el cáliz para indicar la unidad del Cuerpo y la Sangre de Jesús. Durante la fracción del pan, decimos o cantamos:

Pueblo: Cordero de Dios, que quitas el
pecado del mundo,
ten piedad de nosotros.
Cordero de Dios, que quitas el
pecado del mundo,
ten piedad de nosotros.
Cordero de Dios, que quitas el
pecado del mundo,
danos la paz.

Comunión

El sacerdote nos muestra el pan consagrado. Levanta la hostia y nos invita al banquete del Señor. Nosotros respondemos:

Pueblo: Señor, no soy digno
de que entres en mi casa,
pero una palabra tuya bastará
para sanarme.

El sacerdote recibe la sagrada comunión. Empezamos el canto de la comunión. Cuando llega el momento, avanzamos en procesión a recibir la sagrada comunión. El ministro nos ofrece el pan consagrado, el Cuerpo de Cristo. Antes de recibirlo, inclinamos la cabeza como señal de reverencia.

Sacerdote o ministro extraordinario: El Cuerpo de Cristo.
Pueblo: Amén.

Lamb of God (*Agnus Dei*)

Just as Jesus broke bread at the Last Supper and gave it to his disciples, the priest breaks the consecrated bread and puts a piece of it into the chalice to show the unity of Jesus' Body and Blood. During the breaking of the bread, we say or sing the Lamb of God (*Agnus Dei*):

People: Lamb of God, you take away the sins
  of the world,
 have mercy on us.
 Lamb of God, you take away the sins
  of the world,
 have mercy on us.
 Lamb of God, you take away the sins
  of the world,
 grant us peace.

Invitation to Communion

The priest shows us the consecrated bread. He holds the Host up and invites us to the banquet of the Lord. We respond:

People: Lord, I am not worthy
 that you should enter under my roof,
 but only say the word
 and my soul shall be healed.

Communion

The priest receives Holy Communion. We sing the Communion hymn. When it is time, we walk in procession to receive Holy Communion. The minister offers us the consecrated bread, the Body of Christ. We bow our heads as a sign of reverence before receiving the Body of Christ.

Priest or extraordinary minister: The Body of Christ.
People: Amen.

Recibimos el Cuerpo de Cristo en la mano o sobre la lengua. Con reverencia, masticamos y tragamos el pan consagrado.

Si vamos a recibir el vino consagrado, la Sangre de Cristo, el ministro nos ofrece la copa. Antes de recibir la Sangre de Cristo, inclinamos la cabeza como señal de reverencia.

Sacerdote o ministro extraordinario: La Sangre de Cristo.
Pueblo: Amén.

Regresamos a nuestro asiento y damos gracias por el maravilloso regalo de Jesús que hemos recibido en la comunión.

Cuando termina la entrega de la comunión, el sacerdote y el pueblo oran en silencio. En este momento se puede cantar un canto.

We receive the Body of Christ in our hand or on our tongue. We reverently chew and swallow the consecrated bread.

If we are receiving the consecrated wine, the Blood of Christ, the minister offers us the cup. We bow our head as a sign of reverence before receiving the Blood of Christ.

> **Priest or extraordinary minister:** The Blood of Christ.
> **People:** Amen.

We return to our seats and give thanks for the wonderful gift of Jesus we have received in Communion.

When the distribution of Communion is finished, the priest and people pray privately. A song may be sung at this time.

Oración después de la comunión

Nos ponemos de pie. El sacerdote nos invita a orar con él mientras le pide a Dios que nos ayude a vivir como el pueblo de Dios, el Cuerpo de Cristo.

Sacerdote: Oremos…

Pueblo: Amén.

Rito de conclusión

Nos ponemos de pie para el rito de conclusión. El sacerdote nos saluda, nos bendice en el nombre de la Santísima Trinidad y nos envía a vivir como discípulos de Jesús.

Saludo

Sacerdote: El Señor esté con vosotros.

Pueblo: Y con tu espíritu.

Bendición

Sacerdote: La bendición de Dios todopoderoso,
Padre, Hijo y Espíritu Santo, descienda sobre vosotros.

Pueblo: Amén.

Despedida

Sacerdote: Podéis ir en paz.

Pueblo: Demos gracias a Dios.

Cantamos una alabanza. El sacerdote besa el altar como señal de reverencia. Él y los otros ministros se retiran en procesión.

Prayer After Communion

We stand. The priest invites us to pray with him as he asks God to help us live as God's People, the Body of Christ.

Priest: Let us pray…
People: Amen.

Concluding Rites

We stand for the Concluding Rites. The priest greets us, blesses us in the name of the Holy Trinity, and sends us forth to live as Jesus' disciples.

Solemn Blessing or Prayer over the People

Priest: The Lord be with you.
People: And with your spirit.

Final Blessing

Priest: May almighty God bless you, the Father, and the Son, and the Holy Spirit.
People: Amen.

Dismissal

Priest: Go forth, the Mass is ended.
People: Thanks be to God.

We sing a hymn of praise. The priest kisses the altar as a sign of reverence. He and the other ministers leave in procession.

Sagrada comunión

Reglas para recibir la sagrada comunión

- Sólo los católicos bautizados pueden recibir la comunión.

- Para recibir la sagrada comunión, debemos estar en estado de gracia, libres de pecado mortal. Si hemos cometido un pecado mortal, antes de recibir la sagrada comunión, debemos primero cumplir con el sacramento de la reconciliación y recibir la absolución. Si nos arrepentimos de nuestros pecados veniales, nos liberamos de ellos cuando recibimos la sagrada comunión.

- Para honrar al Señor, ayunamos una hora antes del momento de recibir la comunión. Es decir, concurrimos sin haber comido ni bebido, excepto agua o medicamentos.

- Los católicos están obligados a recibir la sagrada comunión por lo menos una vez al año durante el tiempo de Pascua. No obstante, se nos alienta a recibirla todas las veces que participamos en la misa.

Holy Communion

Rules for Receiving Holy Communion

- Only baptized Catholics may receive Communion.

- To receive Holy Communion, we must be in the state of grace, free from mortal sin. If we have sinned mortally, we must first go to the Sacrament of Reconciliation and receive absolution before receiving Holy Communion. When we are sorry for our venial sins, receiving Holy Communion frees us from them.

- To honor the Lord, we fast for one hour before the time we receive Communion. This means we go without food or drink, except water or medicine.

- Catholics are required to receive Holy Communion at least once a year during Easter time. But we are encouraged to receive Communion every time we participate in the Mass.

Cómo recibir la comunión

Cuando recibimos a Jesús en la sagrada comunión, le damos la bienvenida mostrándole reverencia. Estos pasos pueden ayudarte.

• Junta las manos y únete al canto mientras esperas en la fila.

• Cuando te toca el turno, puedes recibir el Cuerpo de Cristo en la mano o sobre la lengua.

• Cuando te muestran la eucaristía, inclínate con una reverencia.

• Para recibir el Cuerpo de Cristo en la mano, sostén las manos con las palmas hacia arriba. Coloca una mano debajo de la otra y ahuécalas levemente.

• Para recibir la hostia en la lengua, junta las manos, abre la boca y saca la lengua.

• La persona que te ofrece la comunión dice: "El Cuerpo de Cristo". Y tú dices: "Amén". El sacerdote, el diácono o el ministro extraordinario de la sagrada comunión te coloca la hostia en la mano o sobre la lengua. Hazte a un lado para masticar y tragar la hostia.

• Puedes escoger beber de la copa. Al ofrecerte la copa, la persona dirá: "La Sangre de Cristo". Y tú dices: "Amén". Toma un sorbo pequeño.

• Regresa a tu sitio en la iglesia. Reza en silencio con tus propias palabras. Dale gracias a Jesús por estar contigo.

How to Receive Communion

When we receive Jesus in Holy Communion, we welcome him by showing reverence. These steps can help you.

- Fold your hands, and join in the singing as you wait in line.

- When it is your turn, you can receive the Body of Christ in your hand or on your tongue.

- When you are shown the Eucharist, bow in reverence.

- To receive the Body of Christ in your hand, hold your hands out with the palms up. Place one hand underneath the other, and cup your hands slightly.

- To receive the Host on your tongue, fold your hands, open your mouth, and put your tongue out.

- The person who offers you Communion will say, "The Body of Christ." You say, "Amen." The priest, deacon, or extraordinary minister of Holy Communion places the Host in your hand or on your tongue. Step aside, and chew and swallow the Host.

- You may choose to drink from the cup. When the cup is offered to you, the person will say, "The Blood of Christ." You say, "Amen." Take a small sip.

- Return to your place in church. Pray quietly in your own words. Thank Jesus for being with you.

Oraciones católicas

Padrenuestro

Padre nuestro, que estás en el cielo,
santificado sea tu Nombre;
venga a nosotros tu reino;
hágase tu voluntad en la tierra como
  en el cielo.
Danos hoy nuestro pan de cada día;
perdona nuestras ofensas,
como también nosotros perdonamos
a los que nos ofenden;
no nos dejes caer en la tentación,
y líbranos del mal.
Amén.

Credo de los Apóstoles

Creo en Dios, Padre todopoderoso,
Creador del cielo y de la tierra.
  Creo en Jesucristo, su único Hijo,
    nuestro Señor,
  que fue concebido por obra y gracia
    del Espíritu Santo,
  nació de santa María Virgen,
  padeció bajo el poder de Poncio Pilato,
  fue crucificado, muerto y sepultado,
  descendió a los infiernos,
  al tercer día resucitó de entre los
    muertos,
  subió a los cielos
  y está sentado a la derecha de Dios,
    Padre todopoderoso.
  Desde allí ha de venir a juzgar a vivos y
    muertos.
Creo en el Espíritu Santo,
  la santa Iglesia católica,
  la comunión de los santos,
  el perdón de los pecados,
  la resurrección de la carne
  y la vida eterna.
Amén.

Catholic Prayers

Lord's Prayer

Our Father, who art in heaven,
hallowed be thy name;
thy kingdom come,
thy will be done on earth as it is in heaven.
Give us this day our daily bread,
and forgive us our trespasses,
as we forgive those who trespass against us;
and lead us not into temptation,
but deliver us from evil.
Amen.

Apostles' Creed

I believe in God,
the Father almighty,
Creator of heaven and earth,
and in Jesus Christ, his only Son, our Lord,

At the words that follow, up to and including the
Virgin Mary, *all bow.*

who was conceived by the Holy Spirit,
born of the Virgin Mary,
suffered under Pontius Pilate,
was crucified, died and was buried;
he descended into hell;
on the third day he rose again from the dead;
he ascended into heaven,
and is seated at the right hand of God
    the Father almighty;
from there he will come to judge the living
    and the dead.
I believe in the Holy Spirit,
the holy catholic Church,
the communion of saints,
the forgiveness of sins,
the resurrection of the body,
and life everlasting. Amen.

Credo niceno-constantinopolitano

Creo en un solo Dios,
    Padre todopoderoso, Creador del
      cielo y de la tierra,
    de todo lo visible y lo invisible.
Creo en un solo Señor, Jesucristo,
    Hijo único de Dios,
    nacido del Padre antes de todos los siglos:
    Dios de Dios, Luz de Luz,
    Dios verdadero de Dios verdadero,
    engendrado, no creado,
    de la misma naturaleza del Padre,
    por quien todo fue hecho;
    que por nosotros, los hombres,
    y por nuestra salvación bajó del cielo,
    y por obra del Espíritu Santo
    se encarnó de María, la Virgen,
      y se hizo hombre;
    y por nuestra causa fue crucificado
    en tiempos de Poncio Pilato,
    padeció y fue sepultado,

y resucitó al tercer día, según las Escrituras,
    y subió al cielo, y está sentado a
      la derecha del Padre;
    y de nuevo vendrá con gloria
    para juzgar a vivos y muertos,
    y su reino no tendrá fin.
Creo en el Espíritu Santo, Señor
    y dador de vida,
    que procede del Padre y del Hijo,
    que con el Padre y el Hijo,
    recibe una misma adoración y gloria,
    y que habló por los profetas.
Creo en la Iglesia,
    que es una, santa, católica y apostólica.
Confieso que hay un solo bautismo
    para el perdón de los pecados.
Espero la resurrección de los muertos
    y la vida del mundo futuro.
Amén.

Nicene Creed

I believe in one God,
the Father almighty,
maker of heaven and earth,
of all things visible and invisible.

I believe in one Lord Jesus Christ,
the Only Begotten Son of God,
born of the Father before all ages.
God from God, Light from Light,
true God from true God,
begotten, not made,
    consubstantial with the Father;
through him all things were made.
For us men and for our salvation
he came down from heaven,

At the words that follow up to and including and
became man, *all bow.*

and by the Holy Spirit was incarnate
of the Virgin Mary,
and became man.

For our sake he was crucified under
    Pontius Pilate,
he suffered death and was buried,
and rose again on the third day
in accordance with the Scriptures.

He ascended into heaven
and is seated at the right hand of
    the Father.
He will come again in glory
to judge the living and the dead
and his kingdom will have no end.

I believe in the Holy Spirit, the
    Lord, the giver of life,
who proceeds from the Father
    and the Son.
who with the Father and the Son is
    adored and glorified,
who has spoken through the
    prophets.

I believe in one, holy,
    catholic and apostolic Church.
I confess one Baptism for
    the forgiveness of sins.
and I look forward to the resurrection of
    the dead
and the life of the world to come.
Amen.

Yo confieso

Yo confieso ante Dios todopoderoso
    y ante vosotros, hermanos,
    que he pecado mucho
    de pensamiento, palabra, obra y
      omisión.
Por mi culpa, por mi culpa, por mi gran
    culpa.
Por eso ruego a Santa María, siempre Virgen,
    a los ángeles, a los santos
    y a vosotros, hermanos,
    que intercedáis por mí ante Dios,
    nuestro Señor.

Gloria

Gloria a Dios en el cielo,
    y en la tierra paz a los hombres
    que ama el Señor.
Por tu inmensa gloria
    te alabamos, te bendecimos,
    te adoramos, te glorificamos,
    te damos gracias,
    Señor Dios, Rey celestial,
    Dios Padre todopoderoso.
    Señor, Hijo único, Jesucristo.
Señor Dios, Cordero de Dios,
    Hijo del Padre;
    tú que quitas el pecado del mundo,
    ten piedad de nosotros;
    tú que quitas el pecado del mundo,
    atiende nuestra súplica;
    tú que estás sentado a la derecha del Padre,
    ten piedad de nosotros;
    porque sólo tú eres Santo,
    sólo tú Señor,
    sólo tú Altísimo, Jesucristo,
    con el Espíritu Santo
    en la gloria de Dios Padre.
Amén.

Confiteor

I confess to almighty God
and to you, my brothers and sisters,
that I have greatly sinned,
in my thoughts and in my words,
in what I have done and
    in what I have failed to do,

Gently strike your chest with a closed fist.

Through my fault, through my fault,
through my most grievous fault;

Continue:

therefore I ask blessed Mary ever-Virgin,
all the Angels and Saints,
and you, my brothers and sisters,
to pray for me to the Lord our God.

Gloria

Glory to God in the highest,
and on earth peace to people of good will.
We praise you,
we bless you,
we adore you,
we glorify you,
we give you thanks for your great glory,
Lord God, heavenly King,
O God, almighty Father.

Lord Jesus Christ, Only Begotten Son,
Lord God, Lamb of God, Son of the Father,
you take away the sins of the world,
    have mercy on us;
you take away the sins of the world,
    receive our prayer;
you are seated at the right hand of the Father,
    have mercy on us.

For you alone are the Holy One,
you alone are the Lord,
you alone are the Most High,
Jesus Christ,
with the Holy Spirit,
in the glory of God the Father.
Amen.

Avemaría

Dios te salve, María, llena eres de gracia;
el Señor es contigo;
bendita tú eres entre todas las mujeres,
y bendito es el fruto de tu vientre, Jesús.
Santa María, Madre de Dios,
ruega por nosotros pecadores,
ahora y en la hora de nuestra muerte.
Amén.

Oración al Espíritu Santo

Ven, Espíritu Santo, llena los corazones de
   los fieles
y enciende en ellos el fuego de Tu amor.
Envía Tu Espíritu, y serán creados.
Y renovarás la faz de la tierra.

Bendición antes de las comidas

Bendícenos, Señor, y bendice estos
   alimentos
que por tu bondad vamos a tomar.
Por Jesucristo, nuestro Señor.
Amén.

Bendición después de las comidas

Te damos gracias, Señor,
por todos tus beneficios.
Tú, que vives y reinas por los siglos
   de los siglos.
Amén.

Hail Mary

Hail, Mary, full of grace!
The Lord is with you!
Blessed are you among women,
and blessed is the fruit of your
    womb, Jesus.
Holy Mary, Mother of God,
pray for us sinners,
now and at the hour of our death.
Amen.

Come, Holy Spirit

Come, Holy Spirit, fill the hearts of your
    faithful
And kindle in them the fire of your love.
Send forth your Spirit and they shall be
    created.
And you shall renew the face of the earth.

Grace Before Meals

Bless us, O Lord, and these your gifts,
which we are about to receive
from your goodness.
Through Christ our Lord.
Amen.

Grace After Meals

We give you thanks for all your gifts,
almighty God,
living and reigning now and forever.
Amen.

Los números en negrita remiten a las páginas donde los términos se encuentran definidos.

Boldfaced numbers refer to pages on which the terms are defined.